하루 한 장 60일 집중 완성

교과도형

초2

B2

쌓기나무

에듀히어로

Edu HERO

"진짜 히어로는 우리 아이들입니다!"

에듀히어로는
우리 아이들이 밝고 건강한 내일을 꿈꿀 수 있도록
긍정적이고 효과적인 교육 서비스를 제공하는 것을
최우선 목표로 하고 있습니다.

그 존재만으로도 든든한 히어로처럼 아이들의 곁에서 힘이 되어주고,
나아가 아이들 각자가 스스로의 인생 속 히어로가 될 수 있도록

우리는 진심과 열정을 다해 아이들과 함께 할 것을 약속 드립니다.

네이버 카페

교재 상세 소개와 진단 테스트
및 유용하게 풀 수 있는
학습 자료를 다운로드 해 보세요.

인스타그램

에듀히어로 인스타그램을
팔로우하시면 다양한 이벤트와
신간 소식을 빠르게 만나보실
수 있습니다.

카카오톡 채널

자녀 수학 공부 상담 및
자유로운 질문을 남겨 주세요.
함께 고민하고
답변해 드리겠습니다.

히어로컨텐츠 HEROCONTENTS

발행일: 2024년 1월 **발행인**: 이예찬

기획개발: 두줄수학연구소

디자인: 4BD STUDIO **삽화**: 1000DAY

발행처: 히어로컨텐츠

주소: 서울특별시 금천구 서부샛길 632, 7층(대륭테크노타운5차)

전화: 02-862-2220 **팩스**: 02-862-2227

지원카페: cafe.naver.com/eduherocafe **인스타그램**: @edu_ _hero

하루 한 장 60일 집중 완성 교과도형은

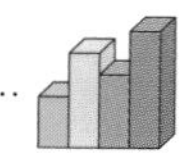

달라진 교과서와 학교 수업 진도에 맞추어 학습자가 체계적으로 도형을 학습할 수 있도록 안내합니다.

이전의 도형 학습이 도형의 정의와 성질을 외우고, 도형의 측정결과를 계산하는 '결과' 중심의 학습이었다면 지금의 도형 학습은 공간에 대한 이해와 해석(공간감각)을 바탕으로 모양을 인식하고 변화를 유추하고 다양한 방법으로 도형을 측정하고 그 결과를 표현하는 '과정' 중심의 학습입니다.
교과도형은 수학교육의 변화와 핵심을 이해하고 올바른 방향을 제시해 주는 든든한 길잡이가 될 것입니다.

하루 한 장 60일 집중 완성 교과도형은

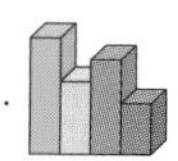

① 공간감각 ② 도형표현 ③ 도형측정을 중심으로 교과서에서 다루는 모든 도형을 체계적으로 학습합니다.

공간감각

도형을 효과적으로 학습하기 위해서는 공간을 이해하고 해석하는 능력, 즉 '공간감각'이 필요합니다.

공간감각은 경험과 상상력을 바탕으로 머릿속에서 도형을 조작하고 결과를 유추하는 능력입니다. 공간감각은 단시간에 길러지지 않으므로 어릴 때부터 꾸준하게 학습하고 구체적인 경험을 쌓는 것이 중요합니다.
'교과도형'의 각 권 마지막에 있는 '도형플러스'는 각 권의 학습목표와 연계하여 공간감각을 한 단계 더 높여줄 수 있는 내용으로 구성하였습니다.

도형표현

공간에 존재하는 도형은 표현되었을 때 더 큰 의미를 가집니다.

- 삼각형을 찾는 것에서 그치지 않고 다양한 삼각형을 직접 그려 보고 왜 삼각형인지 설명하는 것
- 쌓기나무로 만든 모양을 위치와 방향을 이용하여 설명하는 것
- 도형을 여러 가지 기준과 특징에 따라 분류하고 왜 그렇게 분류했는지 설명하는 것
- 도형을 위·앞·옆에서 바라보고 그 모습을 그림으로 표현하는 것 등이 모두 '도형표현'입니다.

'교과도형'은 도형과 관련한 작은 그림에서부터 서술형 문장제까지 도형을 표현하는 다양한 방법을 효과적으로 학습합니다.

도형측정

측정은 도형과 아주 밀접한 관계가 있으므로 도형을 학습하면서 반드시 함께 다루어야 하는 영역입니다.

길이, 각도, 둘레, 넓이, 부피 등 흔히 '도형' 영역이라 생각하는 것이 사실 초등 교육과정에서는 '측정' 영역에 해당합니다. 사각형을 학습하는 것은 도형이지만 사각형의 둘레와 넓이를 구하는 것은 측정입니다. 각의 종류를 학습하는 것은 도형이지만 각도를 재는 것은 측정입니다. 이처럼 길이, 각도, 둘레, 넓이, 부피 등은 결국 도형을 측정하는 것입니다.
'교과도형'은 교과서의 모든 '도형' 영역을 다루었습니다. 여기에 도형과 반드시 연계하여 학습해야 하는 '측정' 영역을 추가로 다루어 더욱 완성된 도형 학습을 할 수 있도록 도와줍니다.

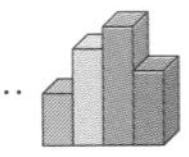

하루 한 장 60일 집중 완성 교과도형은

7세부터 6학년까지 총 7단계 21권(단계별 3권)으로 구성되어 있으며 각 권은 매일 한 장씩 4주간 체계적으로 학습할 수 있습니다.

1권, 20일

2권, 20일

3권, 20일

대 상	단 계	구 성
7세 ~ 1학년	P	P1, P2, P3
1학년	A	A1, A2, A3
2학년	B	B1, B2, B3
3학년	C	C1, C2, C3
4학년	D	D1, D2, D3
5학년	E	E1, E2, E3
6학년	F	F1, F2, F3

교과도형의 각 단계는 1, 2, 3권을 차례대로 학습합니다.

교과도형, 한 권이면 충분합니다

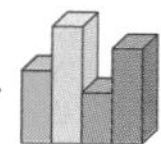

교과도형은 공간감각, 도형표현, 도형측정을 중심으로 교과서에서 다루는 모든 도형을 학습하고,
공간감각 향상을 위한 '도형플러스'와 학습 결과를 확인하는 '형성평가'를 제공합니다.

1 주차별 학습

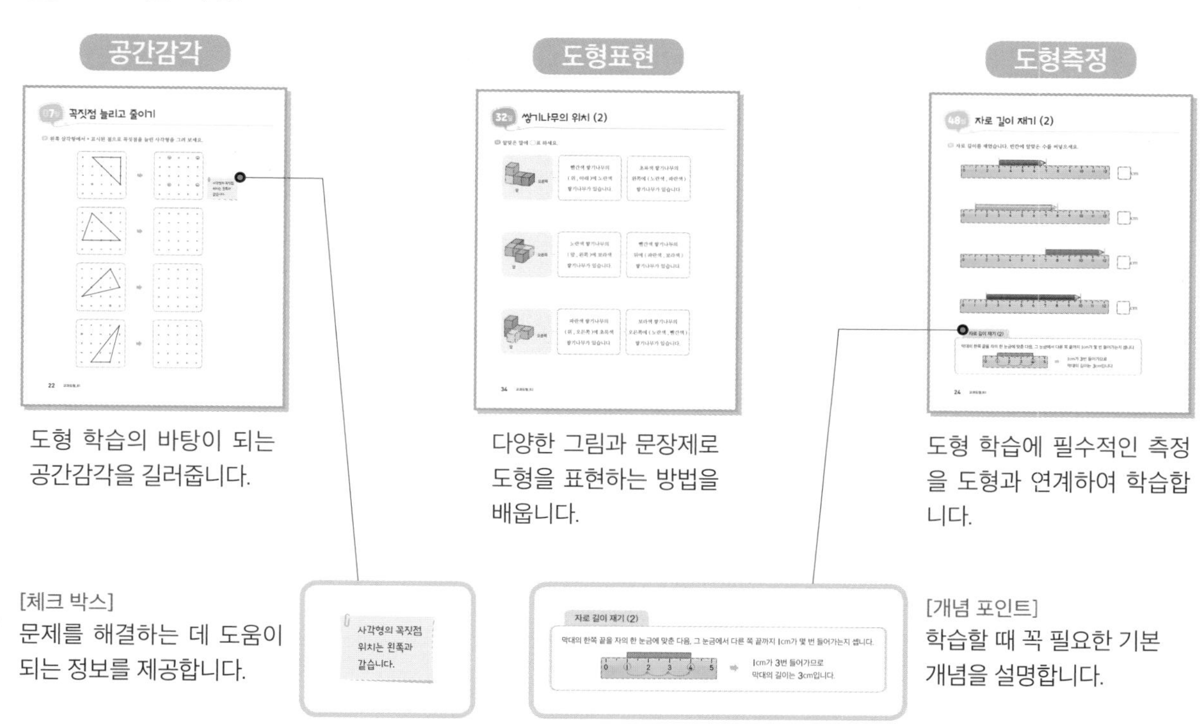

공간감각

도형 학습의 바탕이 되는 공간감각을 길러줍니다.

도형표현

다양한 그림과 문장제로 도형을 표현하는 방법을 배웁니다.

도형측정

도형 학습에 필수적인 측정을 도형과 연계하여 학습합니다.

[체크 박스]
문제를 해결하는 데 도움이 되는 정보를 제공합니다.

[개념 포인트]
학습할 때 꼭 필요한 기본 개념을 설명합니다.

2 도형플러스

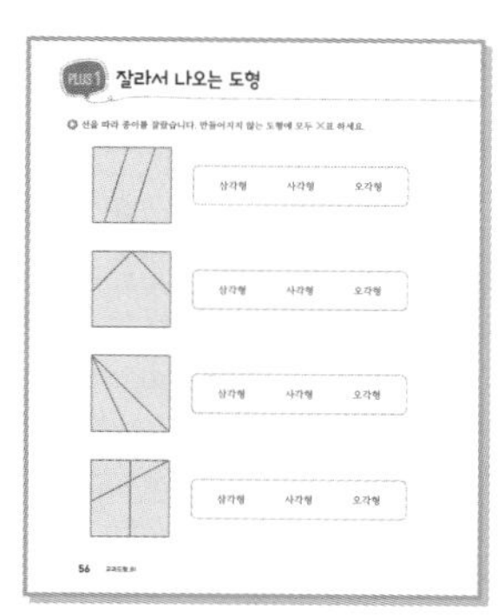

각 권의 학습 주제와 연계하여 공간감각을 더욱 향상시킵니다.

3 형성평가

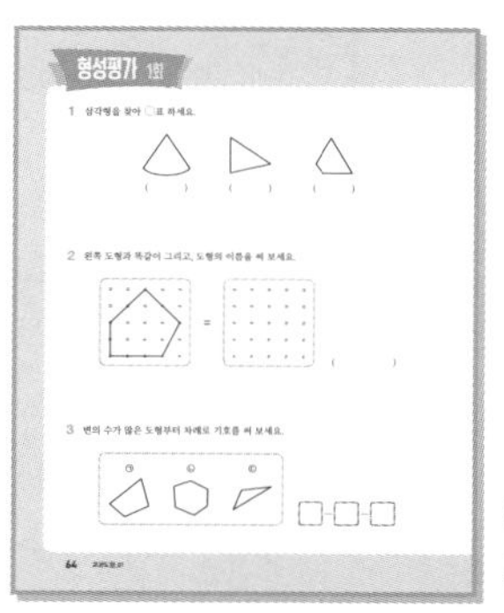

학습한 내용을 다시 한 번 복습하고 정리합니다.

이 책의 차례

1주차
21~25일

모양 관찰

21일 같은 모양 찾기 (1)

왼쪽과 똑같이 쌓은 모양에 ◯표 하세요.

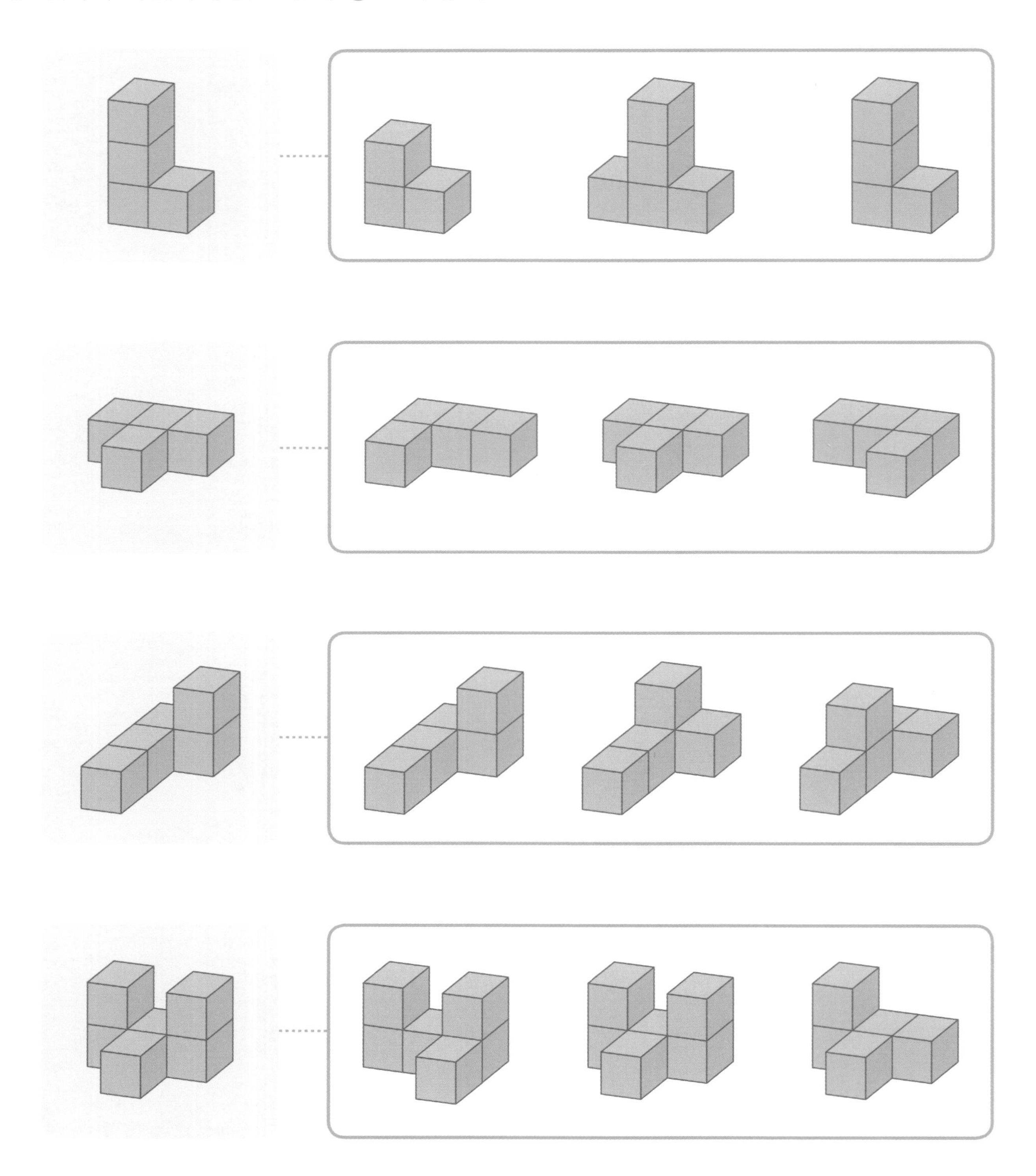

똑같이 쌓은 모양끼리 이어 보세요.

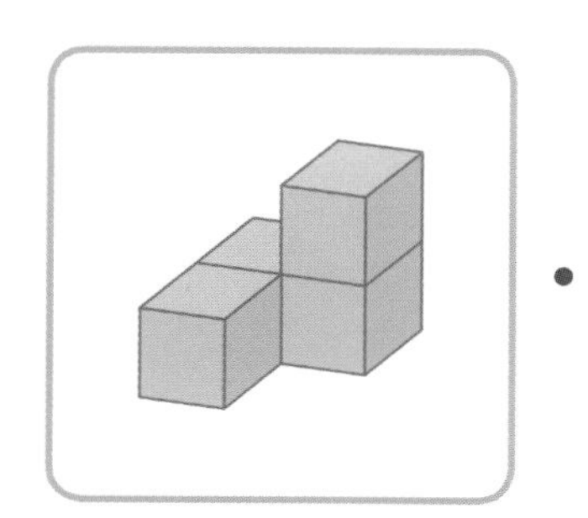

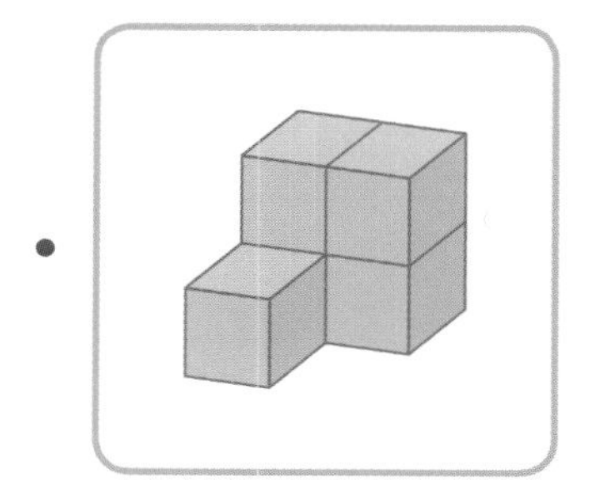

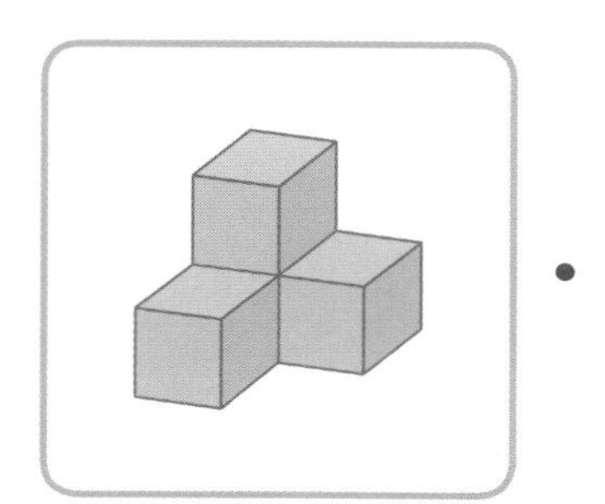

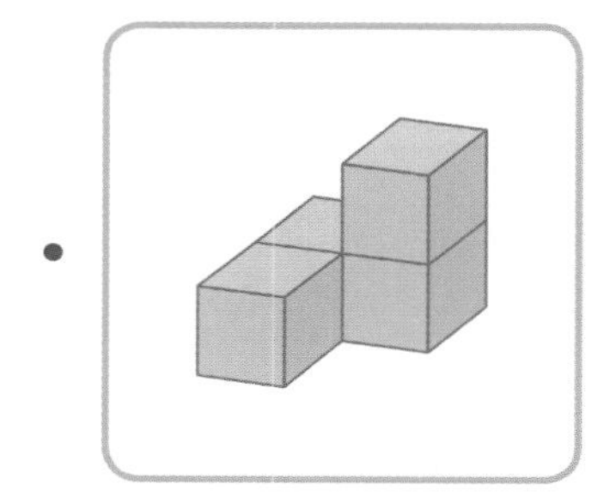

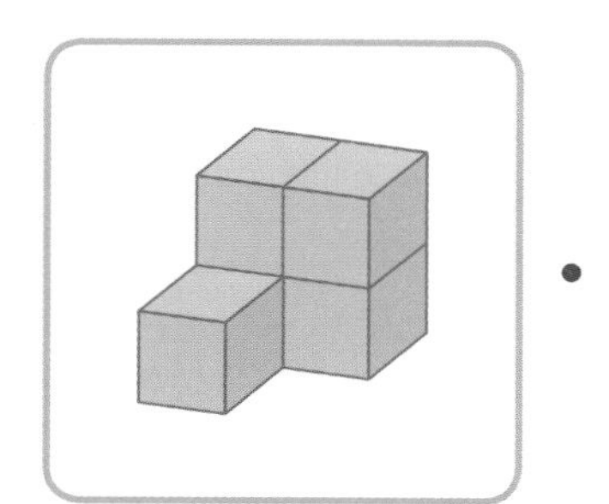

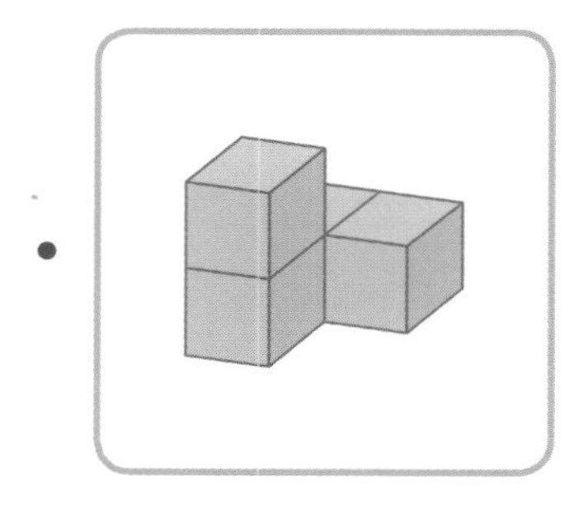

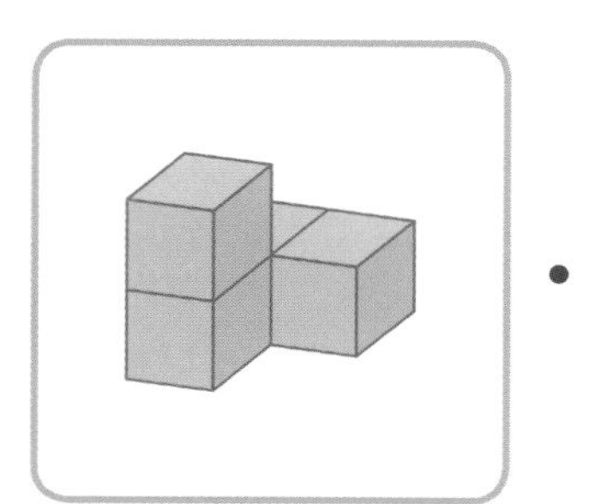

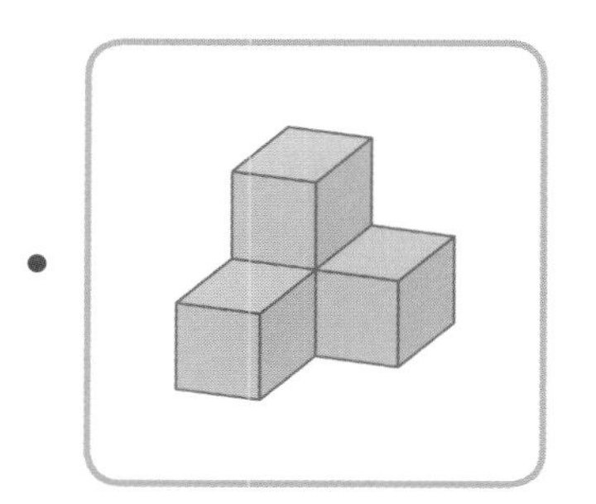

같은 모양 찾기 (2)

왼쪽과 똑같이 쌓은 모양에 ○표 하세요. 빨간색 쌓기나무의 위치도 같아야 합니다.

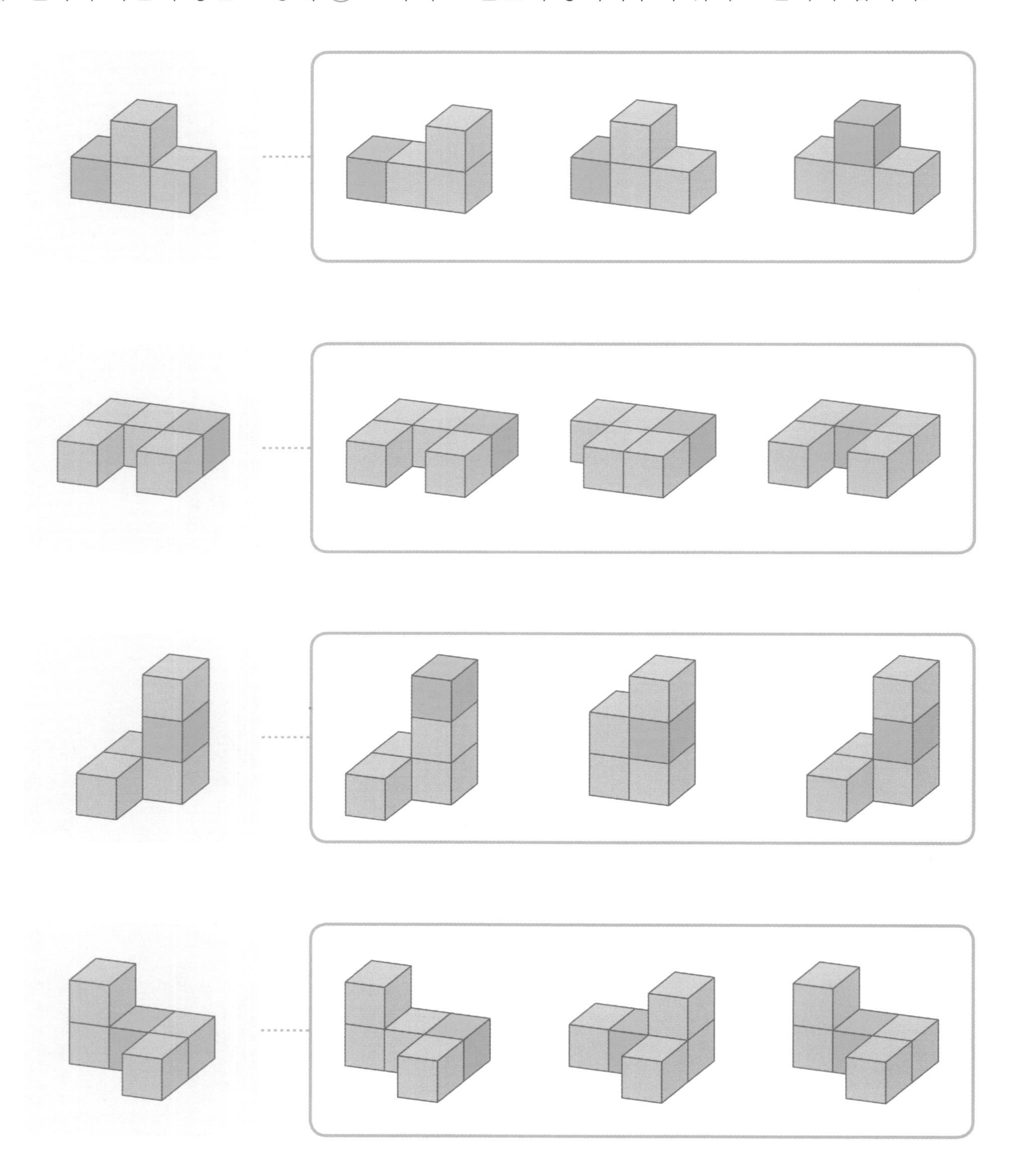

똑같이 쌓은 모양 2개에 각각 ◯표 하세요. 빨간색 쌓기나무의 위치도 같아야 합니다.

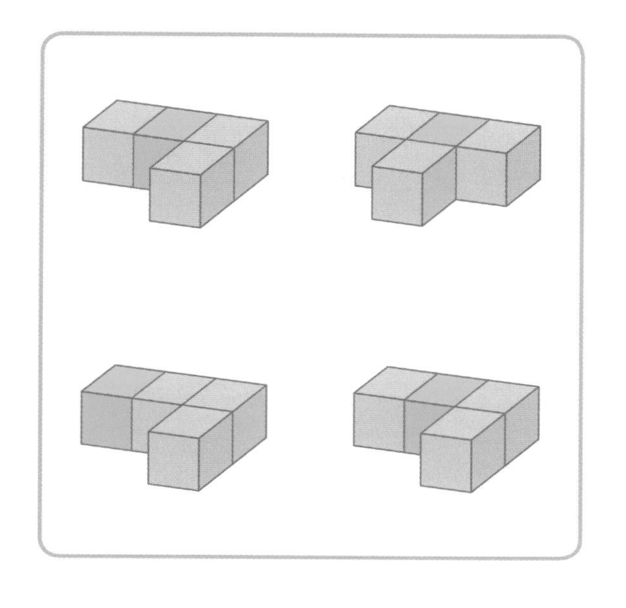

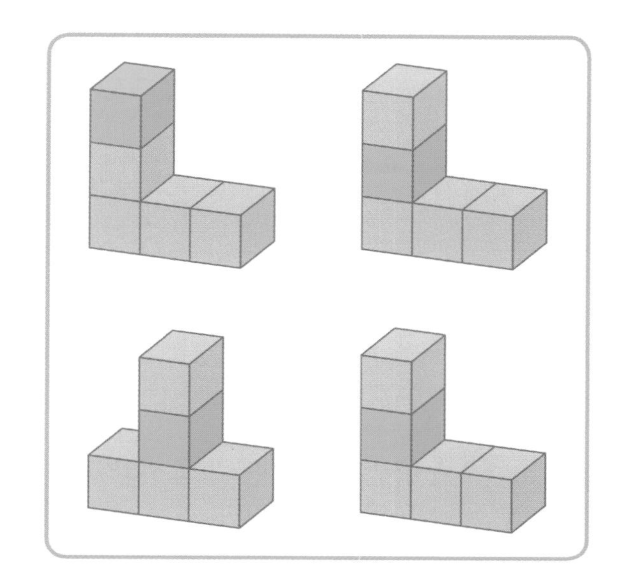

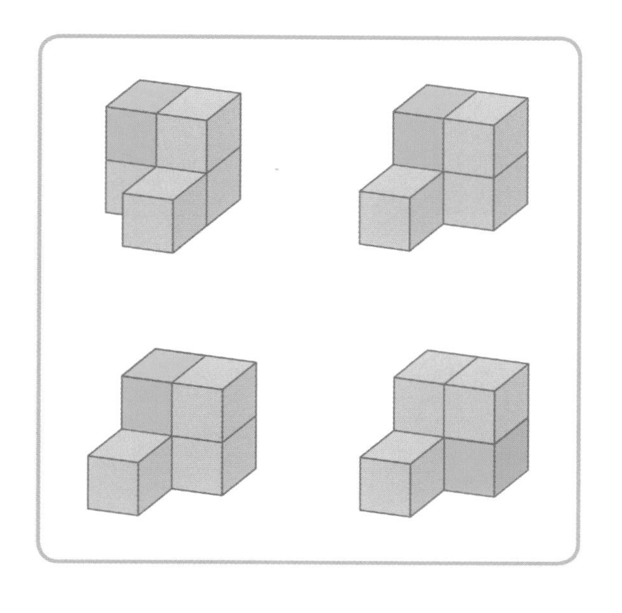

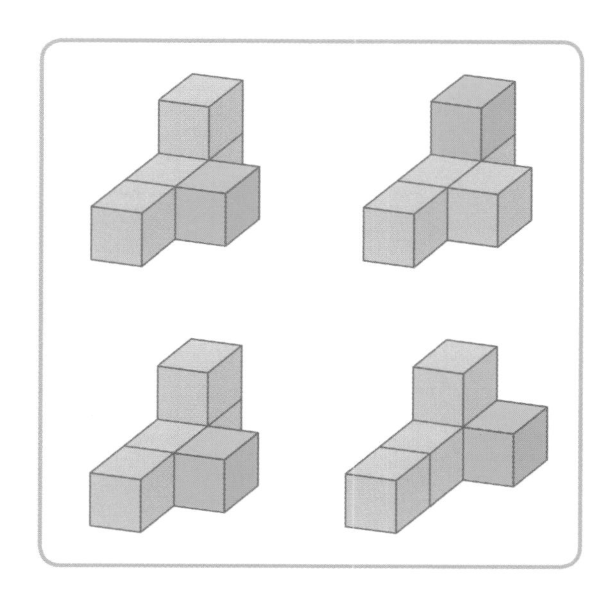

23일 쌓기나무 더하기

11 위쪽 모양에서 쌓기나무 1개를 더 쌓아 아래쪽 모양과 똑같이 만들려고 합니다. 아래쪽 모양에서 더 쌓은 쌓기나무를 찾아 ◯표 하세요.

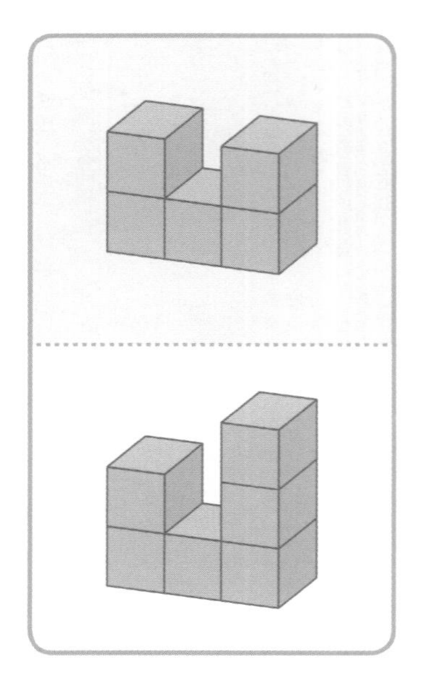

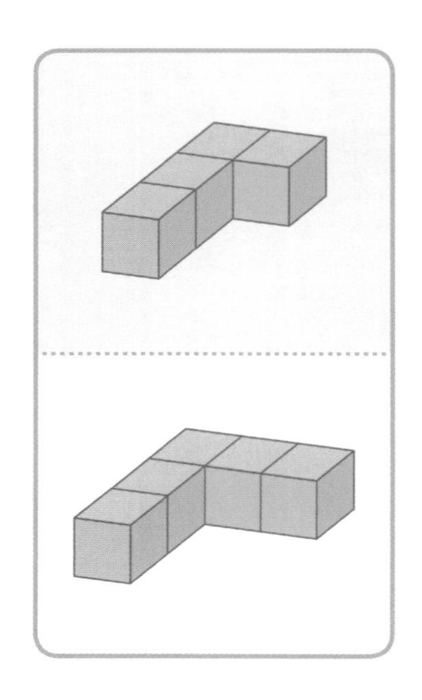

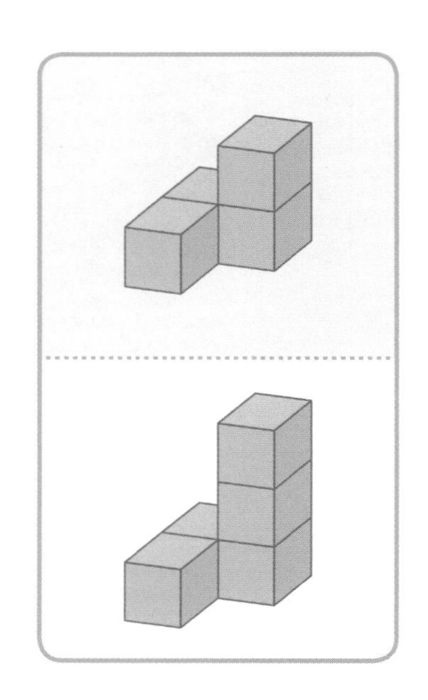

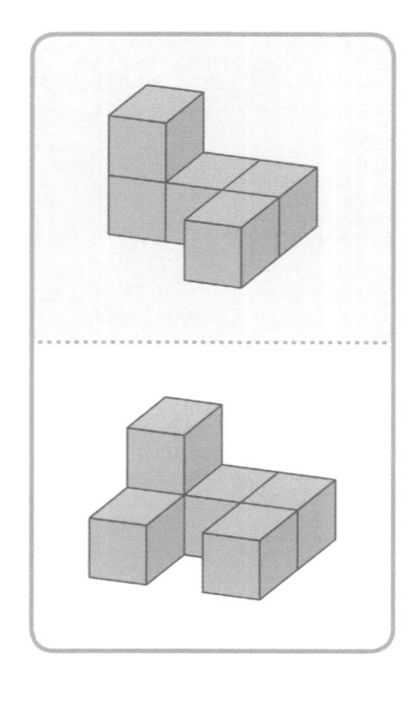

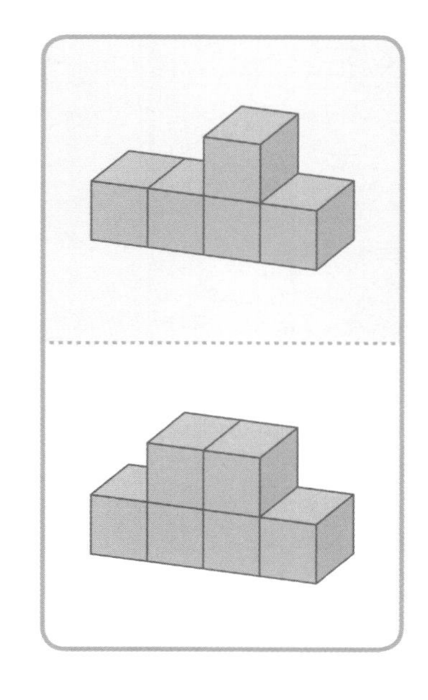

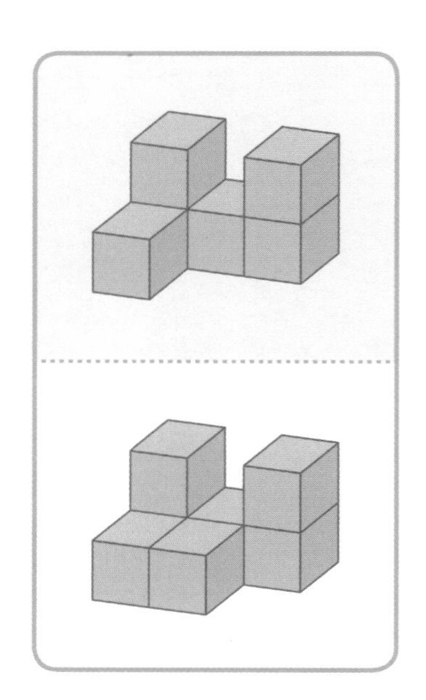

왼쪽 모양에서 쌓기나무 2개를 더 쌓아 오른쪽 모양과 똑같이 만들려고 합니다. 오른쪽 모양에서 더 쌓은 쌓기나무를 찾아 각각 ◯표 하세요.

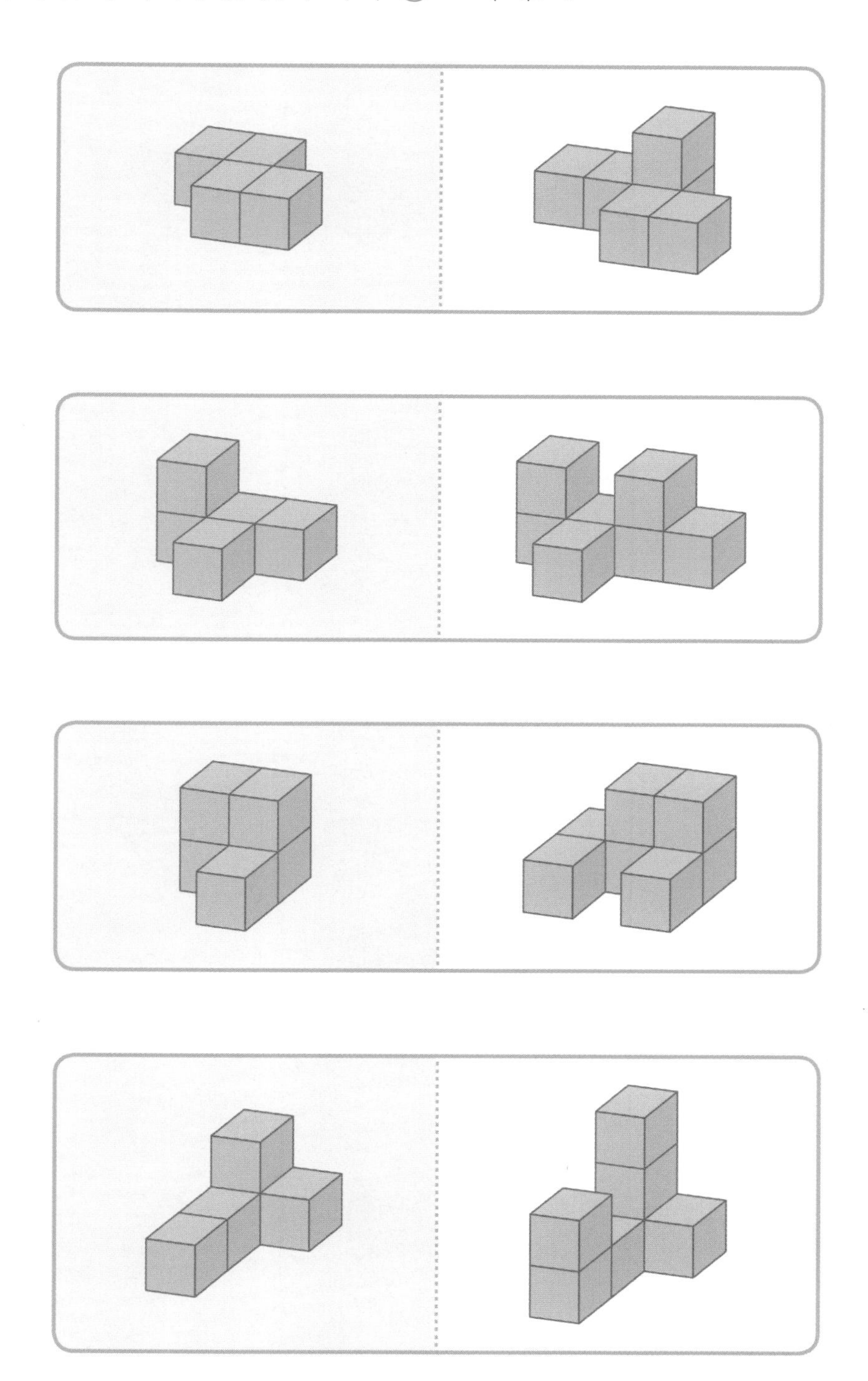

24일 쌓기나무 빼기

위쪽 모양을 아래쪽 모양과 똑같이 만들려고 합니다. 위쪽 모양에서 빼야 하는 쌓기나무 1개를 찾아 ◯표 하세요.

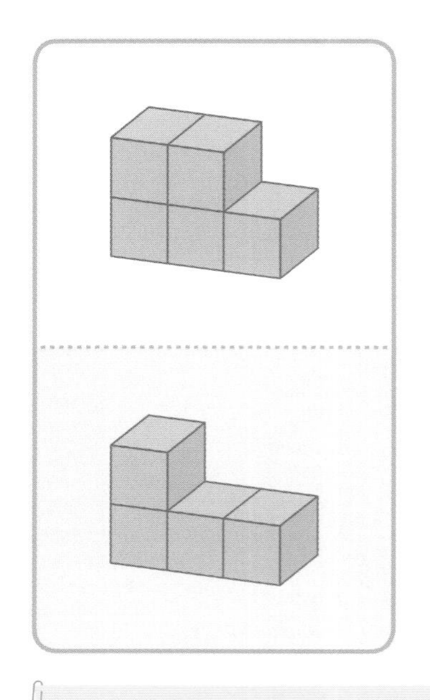
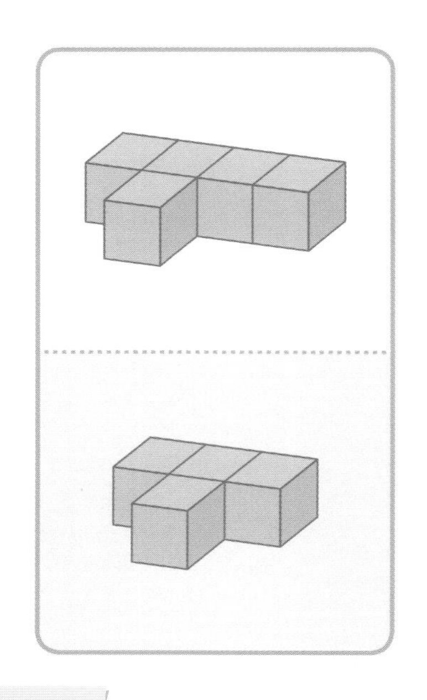
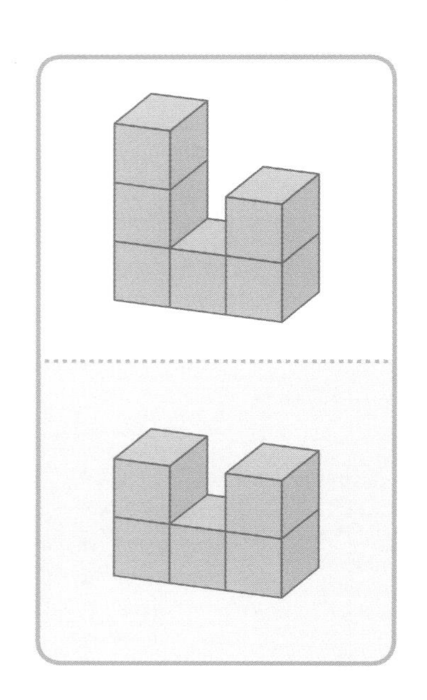

아래쪽 모양과 똑같은 부분을 위쪽 모양에서 찾습니다.

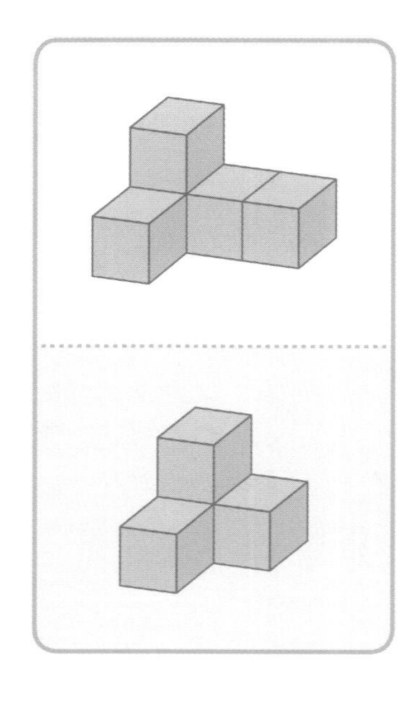
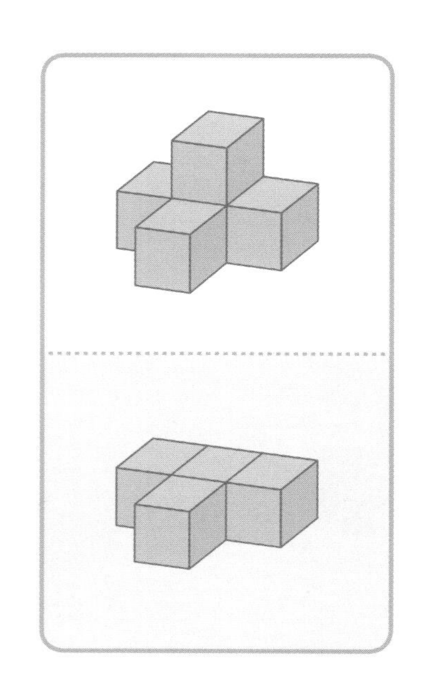
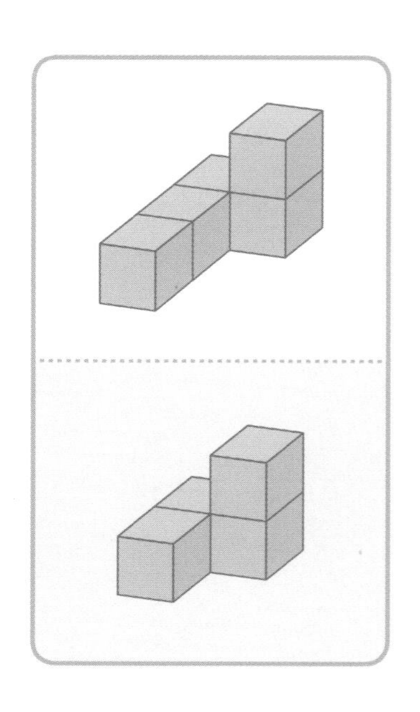

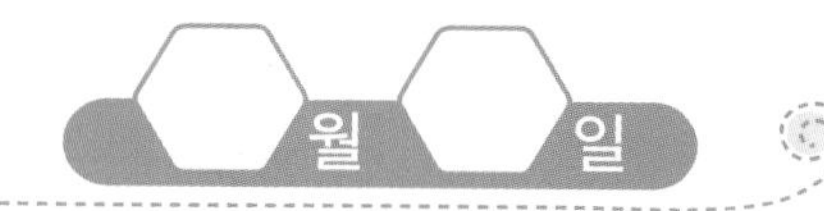

왼쪽 모양을 오른쪽 모양과 똑같이 만들려고 합니다. 왼쪽 모양에서 빼야 하는 쌓기나무 2개를 찾아 각각 ◯표 하세요.

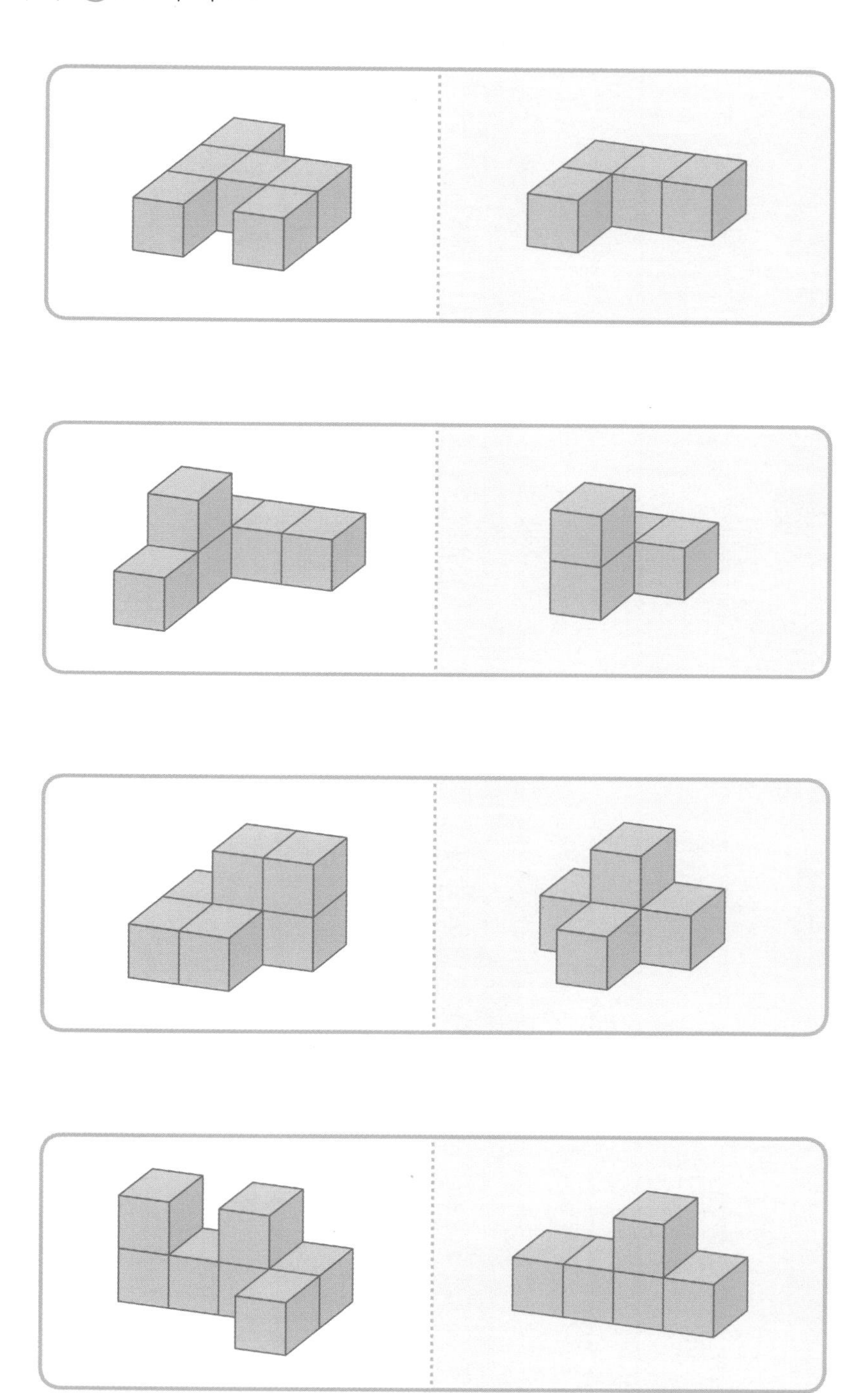

25일 쌓기나무 옮기기

위쪽 모양에서 쌓기나무 1개를 옮겨 아래쪽 모양과 똑같이 만들려고 합니다. 옮기기 전 쌓기나무에 ╳표, 옮긴 후 쌓기나무에 ◯표 하세요.

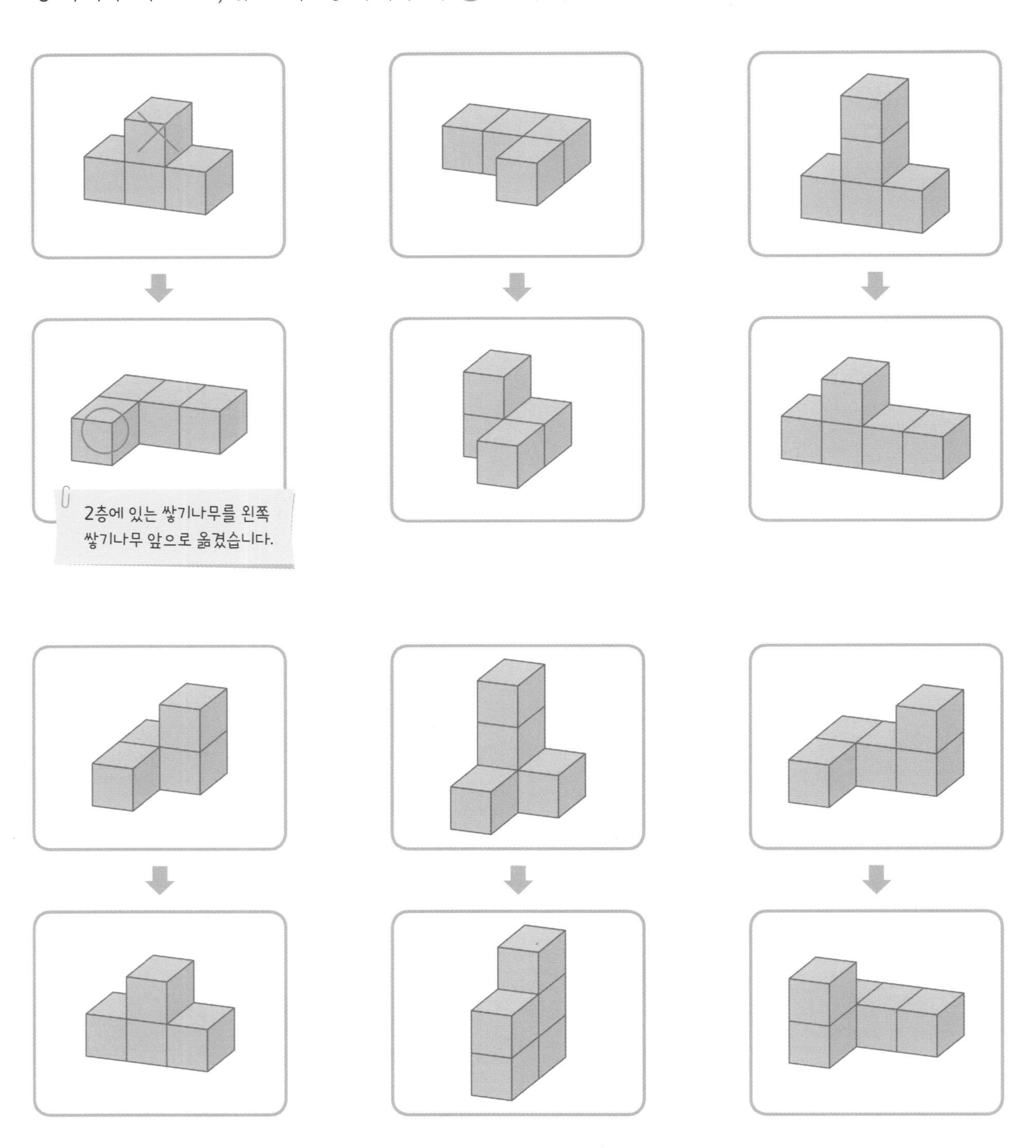

2층에 있는 쌓기나무를 왼쪽
쌓기나무 앞으로 옮겼습니다.

쌓기나무 1개를 옮겨서 만들 수 있는 똑같은 모양을 찾아 이어 보세요.

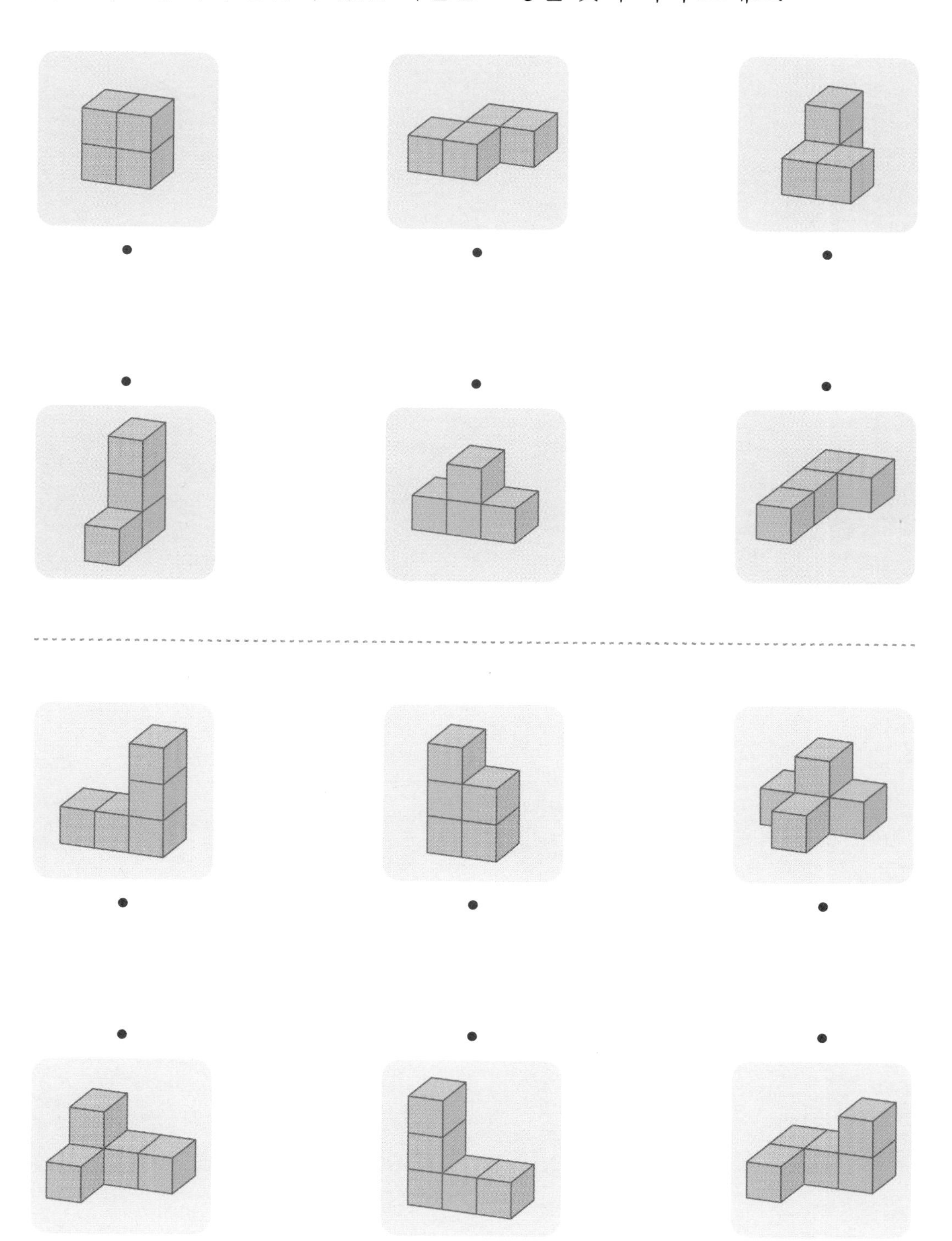

왼쪽 모양에서 쌓기나무 1개를 옮겨서 만들 수 있는 똑같은 모양이 아닌 것에 ×표 하세요.

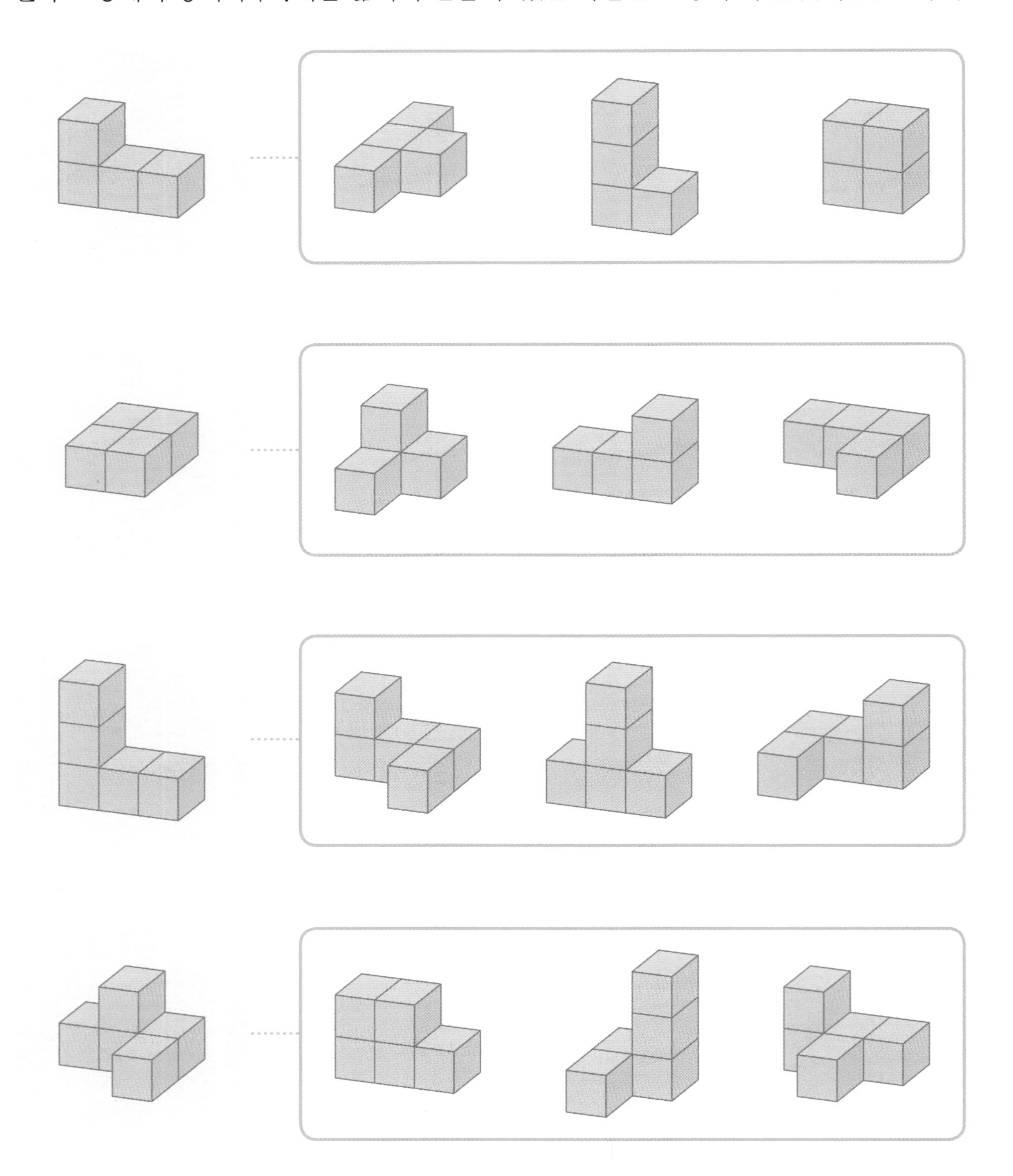

2주차
26~30일

쌓기나무의 개수

26일 직접 세어 보기

모양을 만드는 데 이용한 쌓기나무의 개수를 세어 보세요.

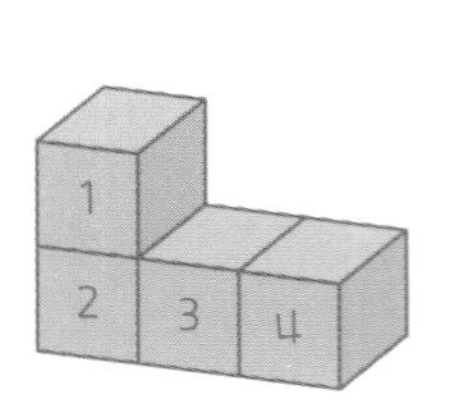

4 개

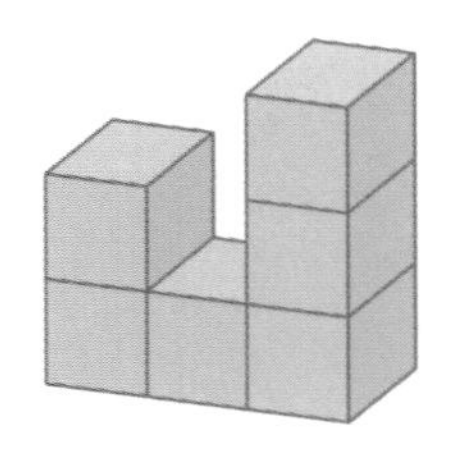

개

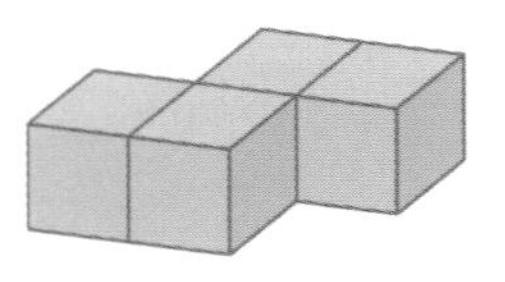

개

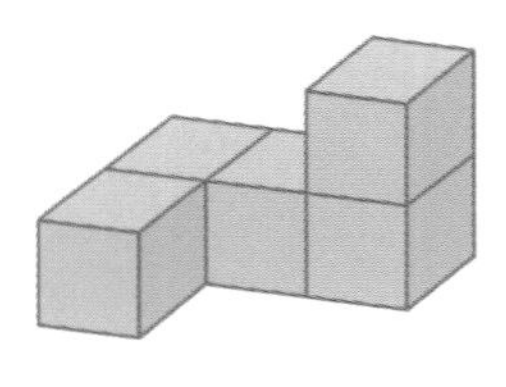

개

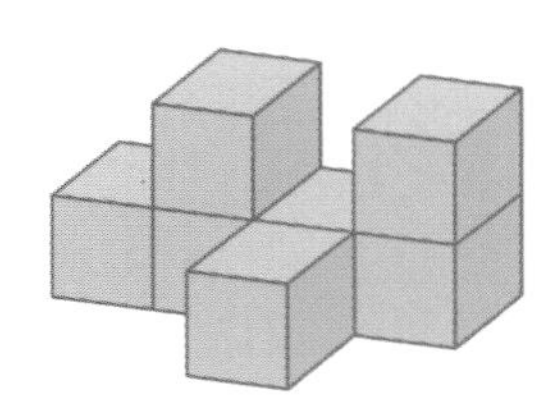

개

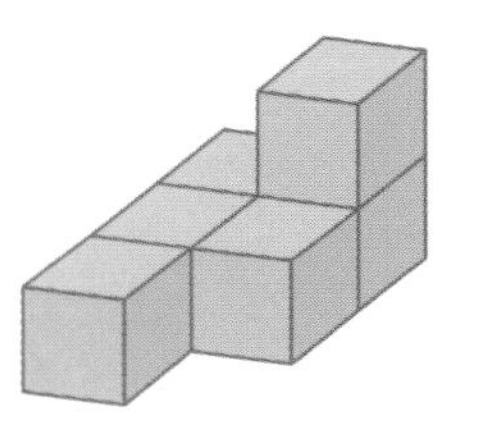

개

쌓기나무로 모양 만들기

쌓기나무 3개로 만든 모양

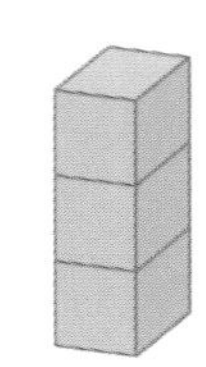
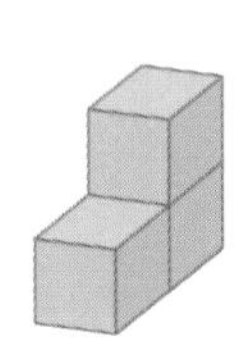
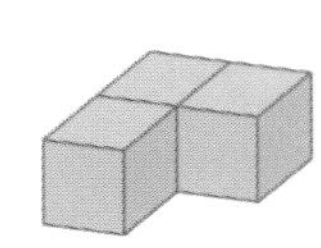
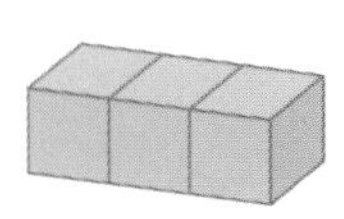

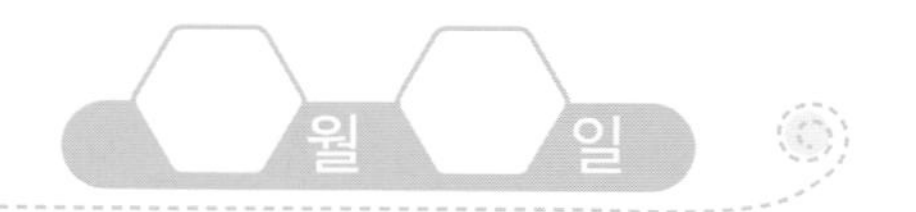

모양을 만드는 데 이용한 쌓기나무의 개수가 같은 것끼리 이어 보세요.

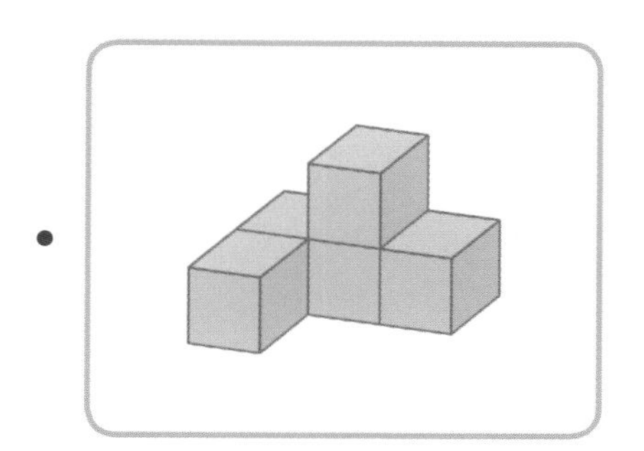

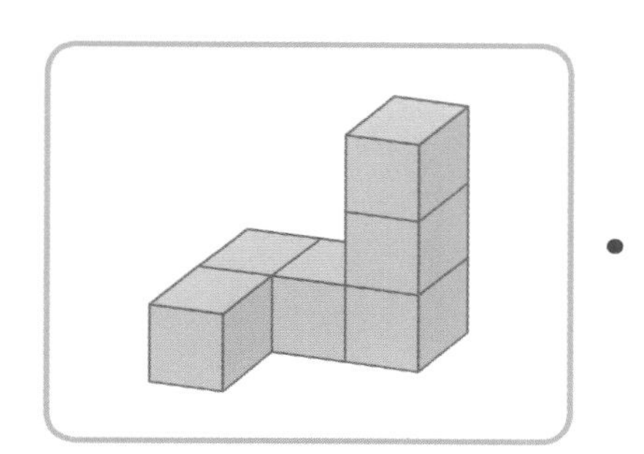

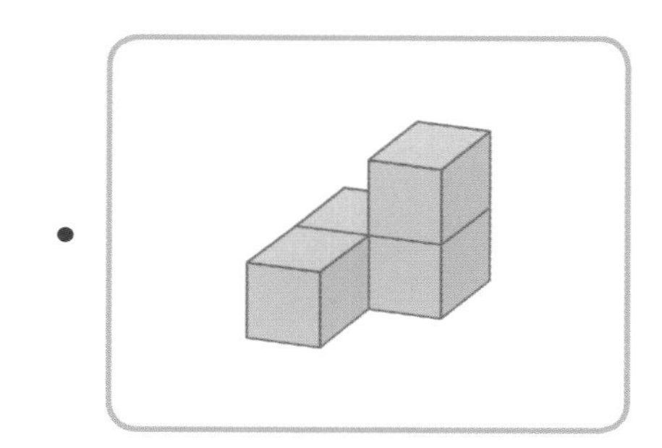

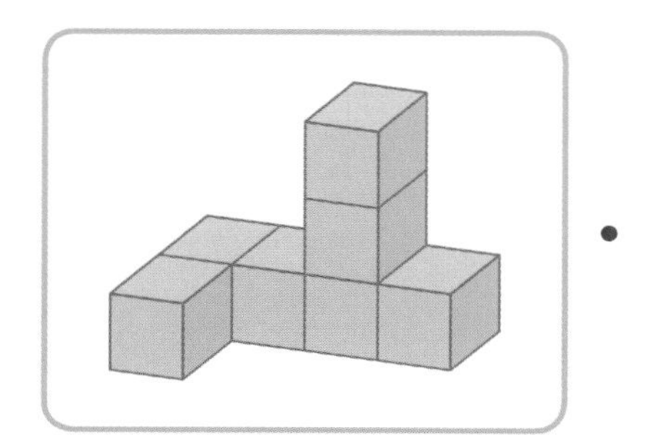

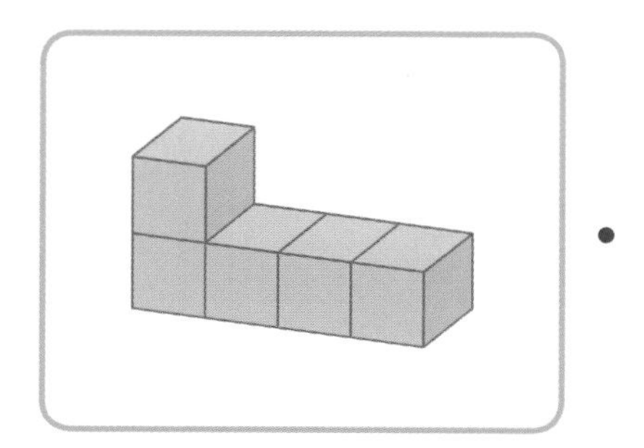

가려진 쌓기나무

1 모양을 만드는 데 이용한 쌓기나무의 개수를 세어 보세요.

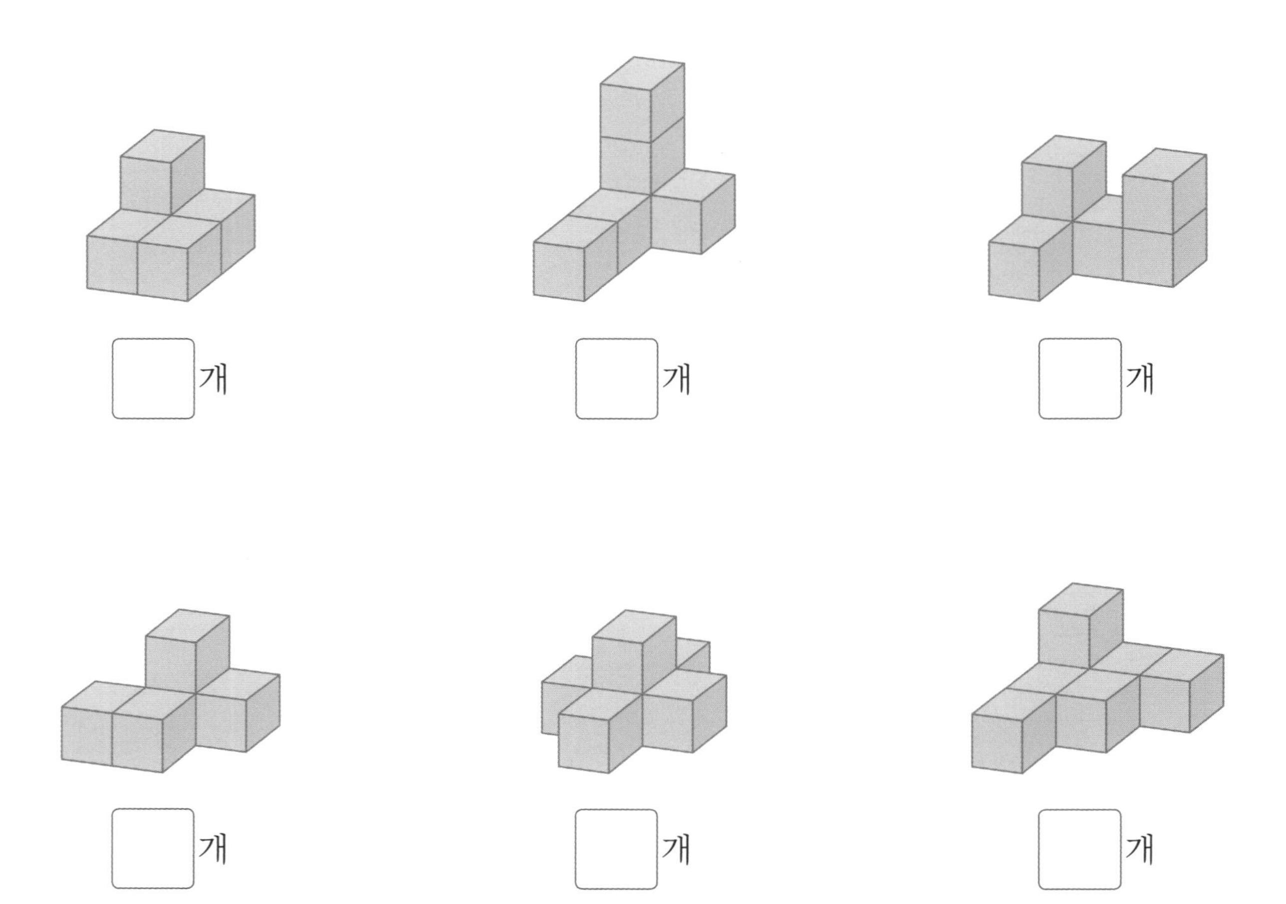

가려진 쌓기나무가 있는 모양

쌓기나무의 개수를 셀 때는 다른 쌓기나무에 가려져 보이지 않는 쌓기나무도 생각합니다.

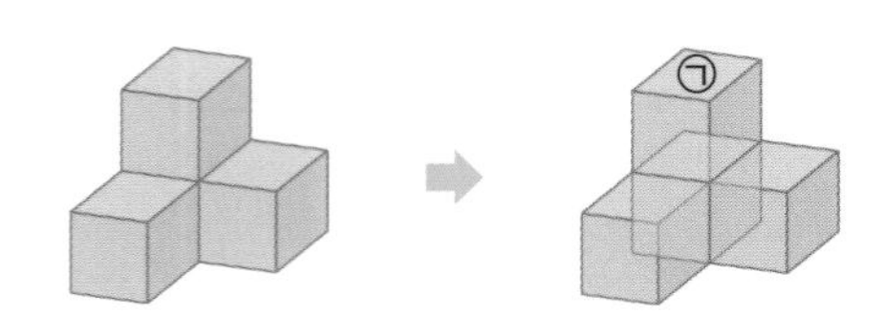

보이는 쌓기나무: 3개
㉠ 쌓기나무 아래에 가려진 쌓기나무: 1개
→ 쌓기나무는 모두 4개입니다.

모양을 만드는 데 이용한 쌓기나무의 개수가 같은 것끼리 이어 보세요.

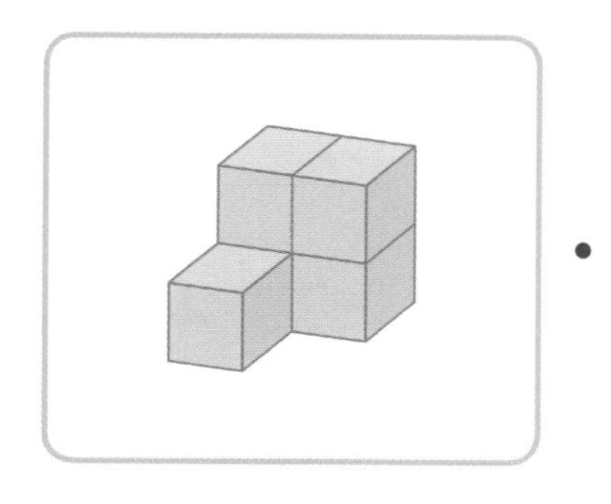
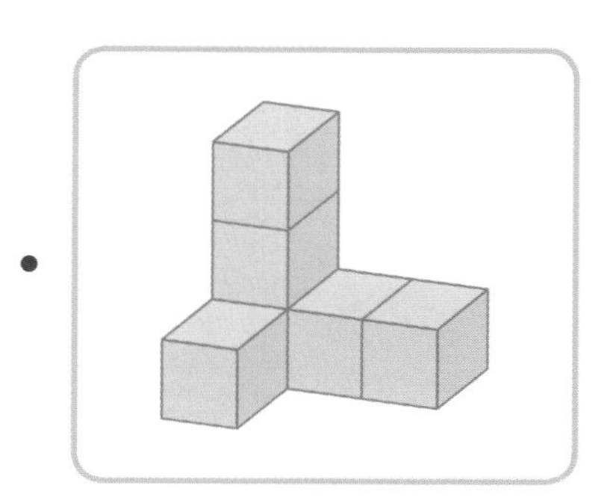

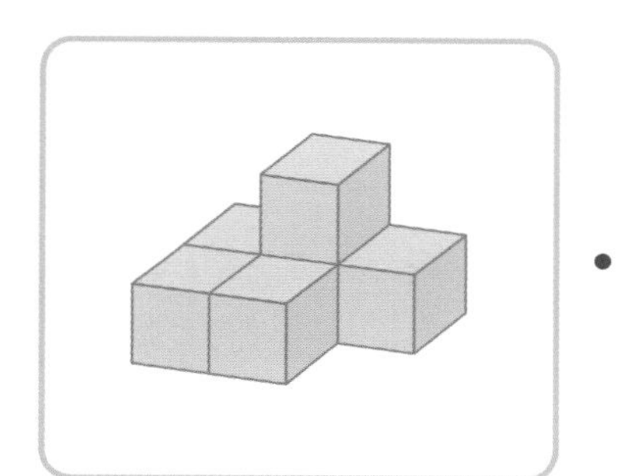
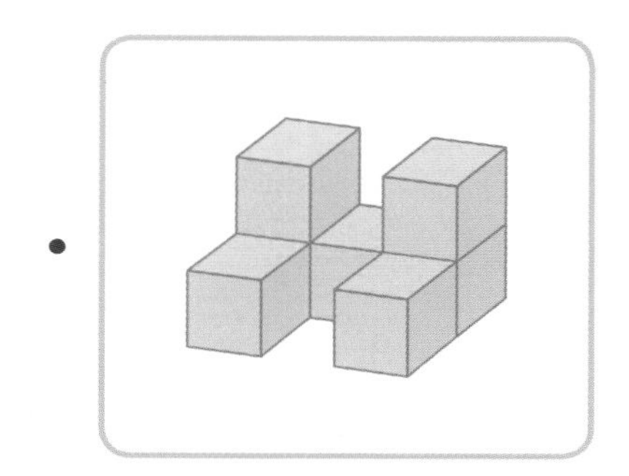

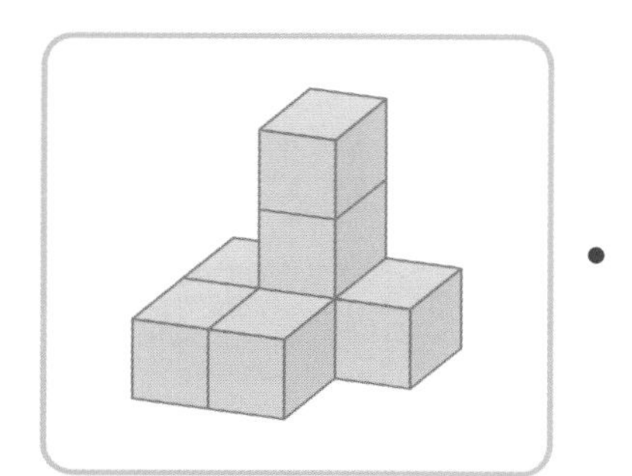
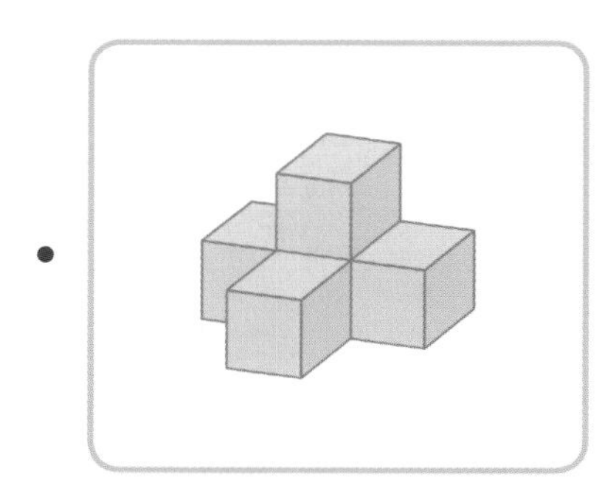

쌓기나무 개수 구하기

각 줄의 맨 위에 그 줄에 있는 쌓기나무의 수를 적은 다음, 적은 수를 모두 더합니다.

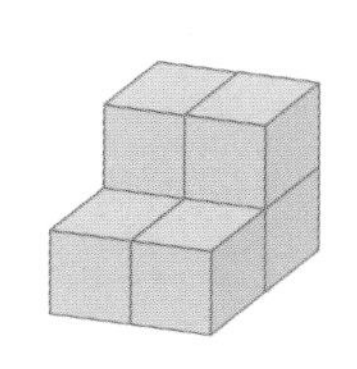

$2+2+1+1=6$(개)

개수가 다른 모양

주어진 개수의 쌓기나무로 만든 모양을 찾아 모두 ◯표 하세요.

4개로 만든 모양

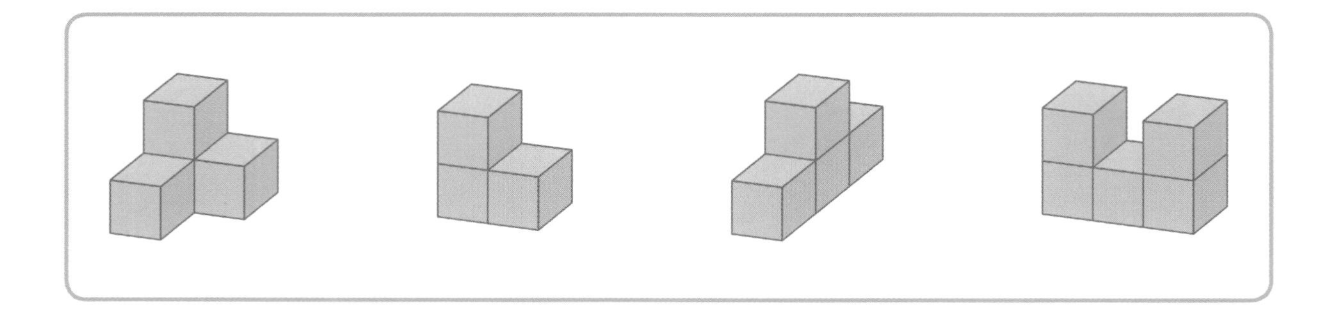

5개로 만든 모양

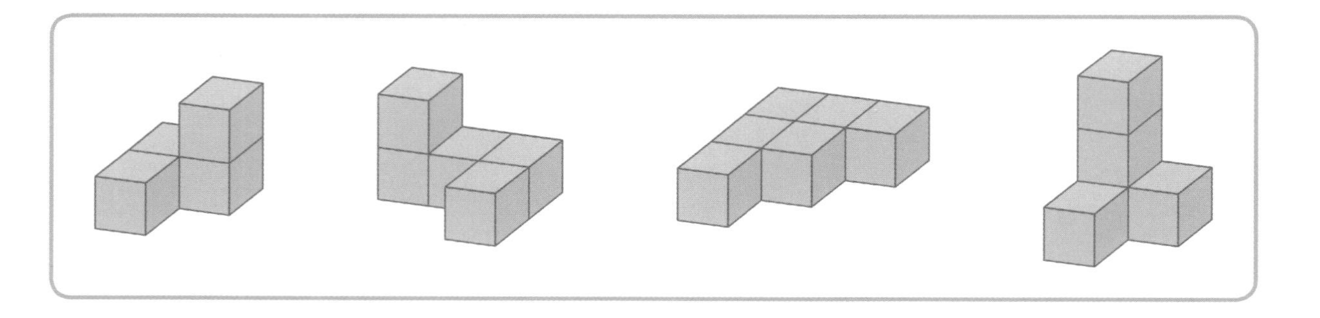

6개로 만든 모양

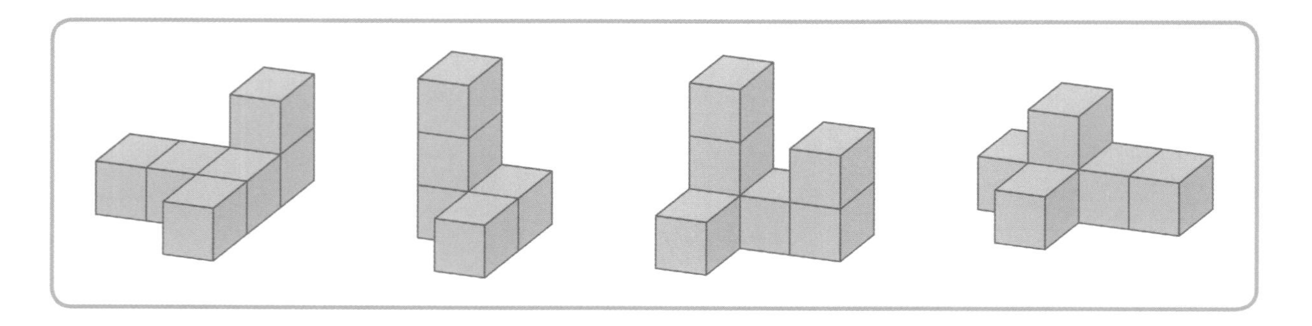

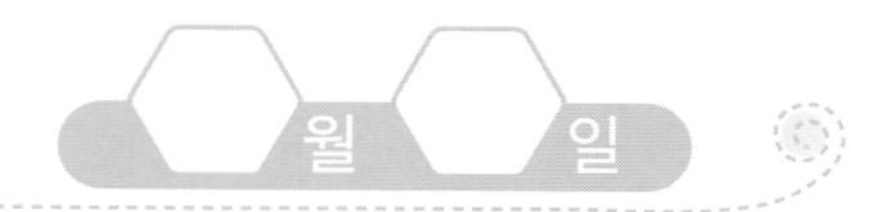

11 이용한 쌓기나무의 개수가 다른 모양 하나에 △표 하세요.

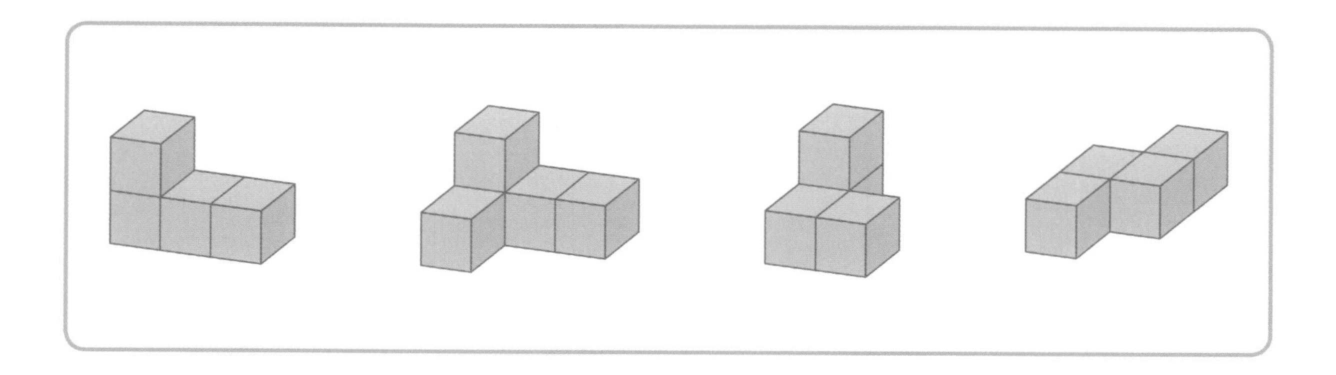

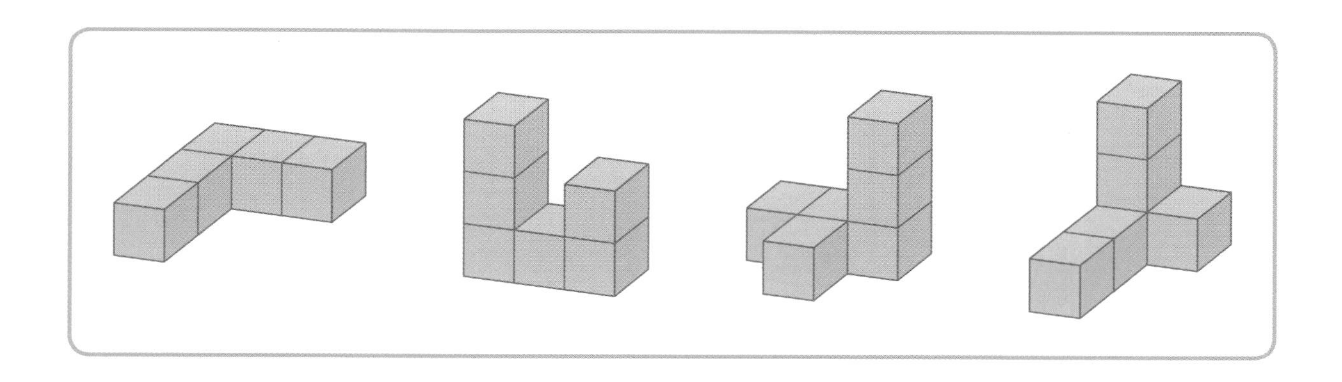

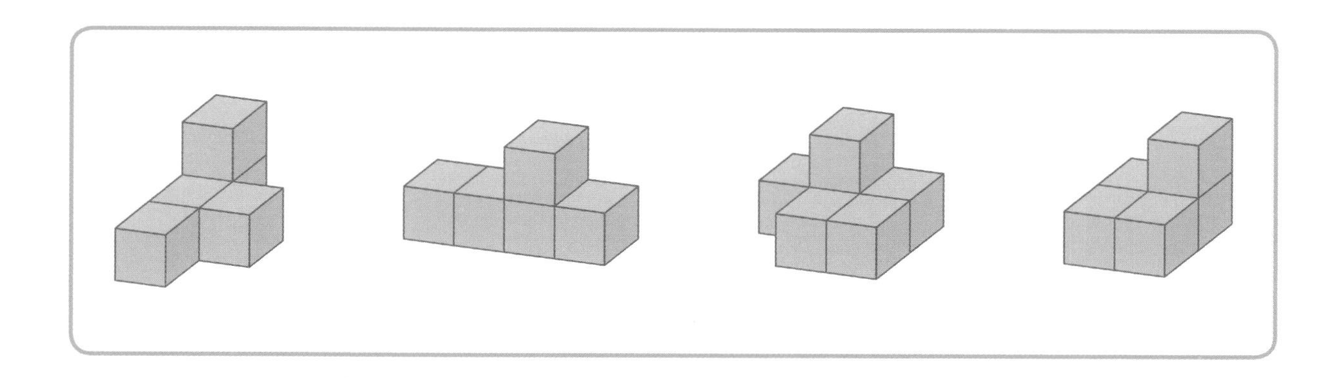

가장 많이 이용한 모양

쌓기나무를 가장 많이 이용한 모양에 ◯표 하세요.

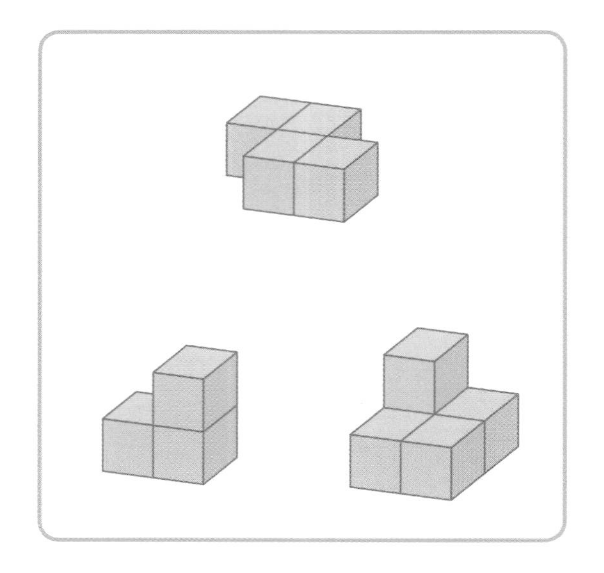

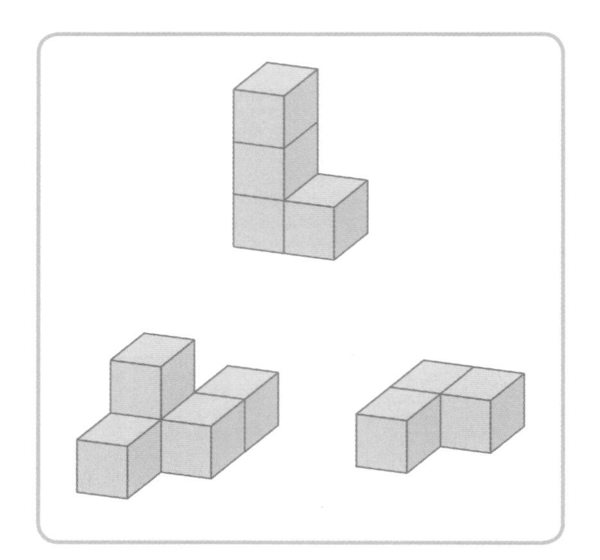

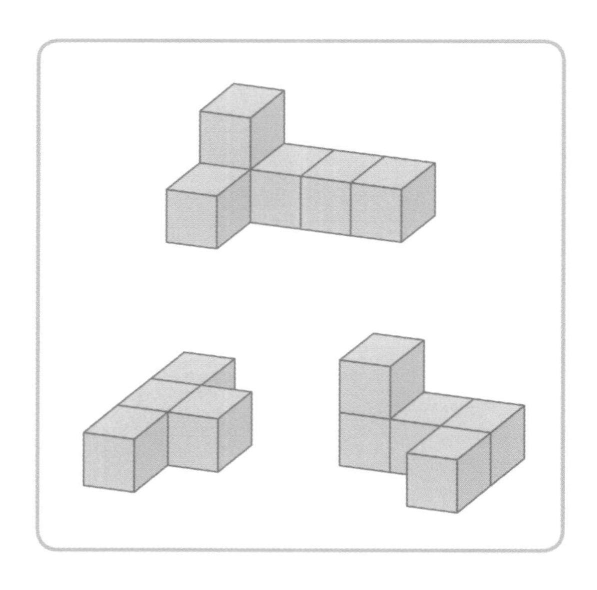

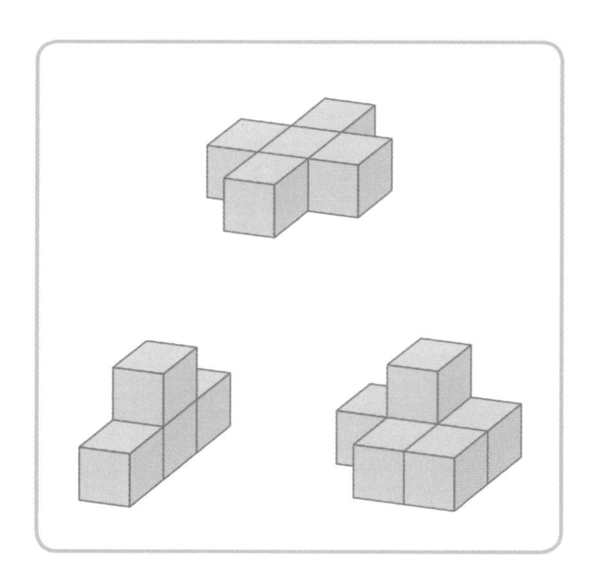

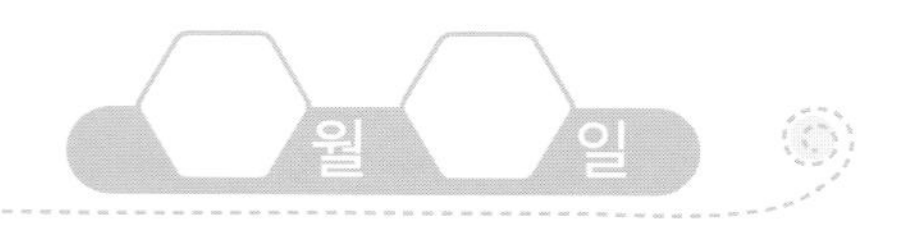

쌓기나무를 가장 많이 이용한 모양부터 차례로 기호를 써 보세요.

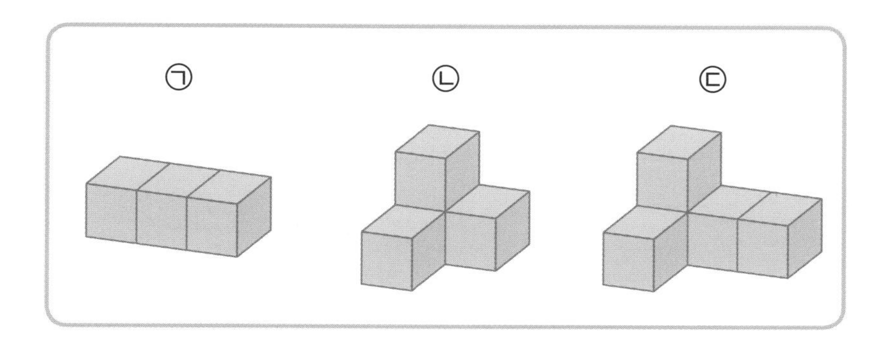

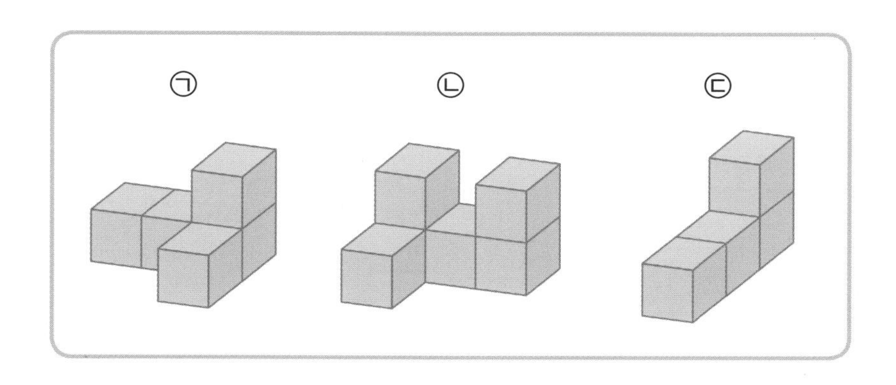

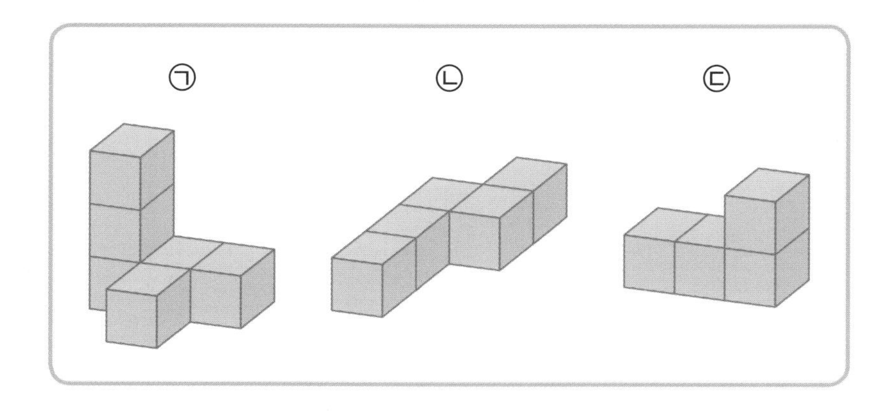

30일 두 모양의 개수

물음에 답하세요.

두 모양을 만드는 데 이용한 쌓기나무는 모두 몇 개일까요?

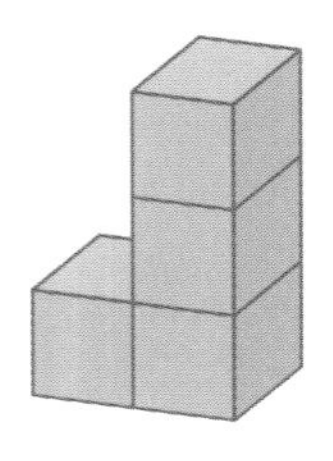

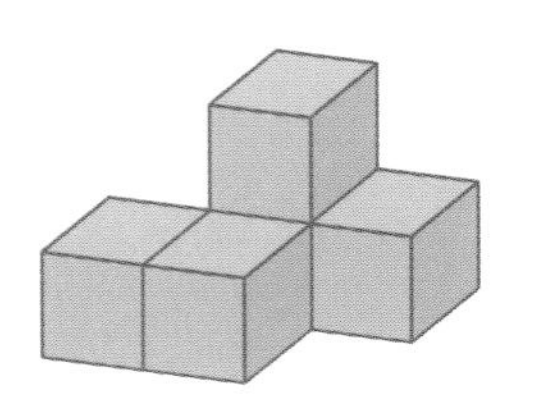

(　　　　)개

자동차와 비행기 모양을 만드는 데 이용한 쌓기나무는 모두 몇 개일까요?

자동차

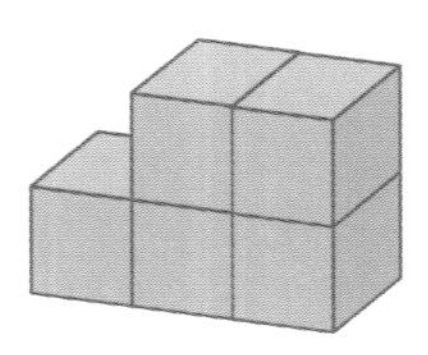

비행기

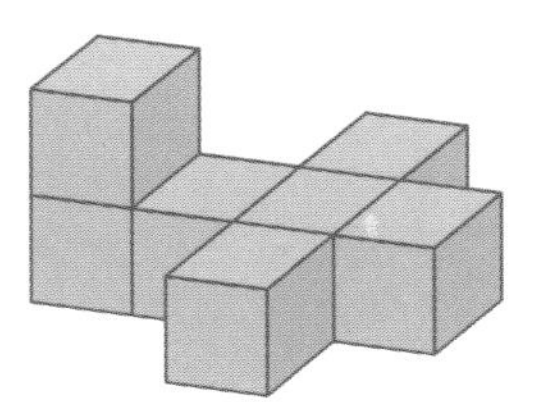

(　　　　)개

물음에 답하세요.

왼쪽 모양에서 쌓기나무 몇 개를 더 쌓아 오른쪽 모양을 만들었습니다. 더 쌓은 쌓기나무는 몇 개일까요?

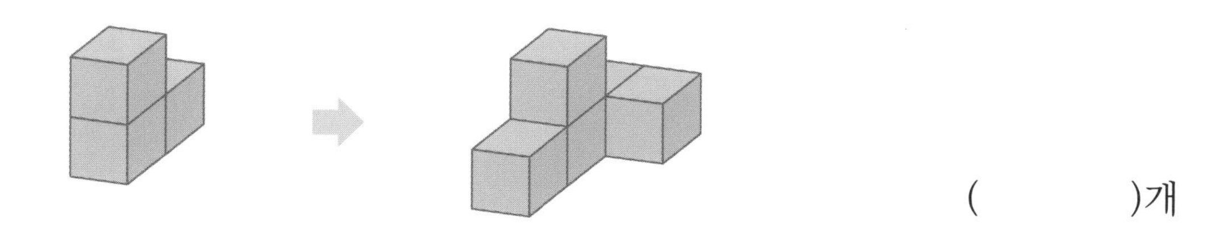

(　　　　)개

왼쪽 모양에서 쌓기나무 몇 개를 빼서 오른쪽 모양을 만들었습니다. 뺀 쌓기나무는 몇 개일까요?

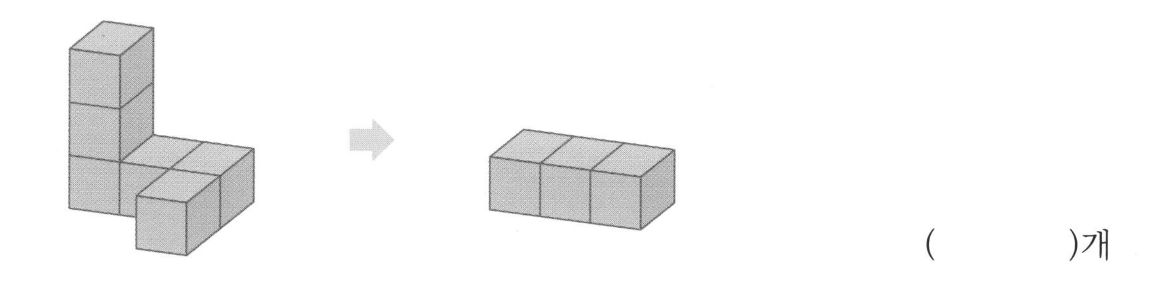

(　　　　)개

쌓기나무로 모양을 만들었습니다. 빈칸에 알맞은 말 또는 수를 써넣으세요.

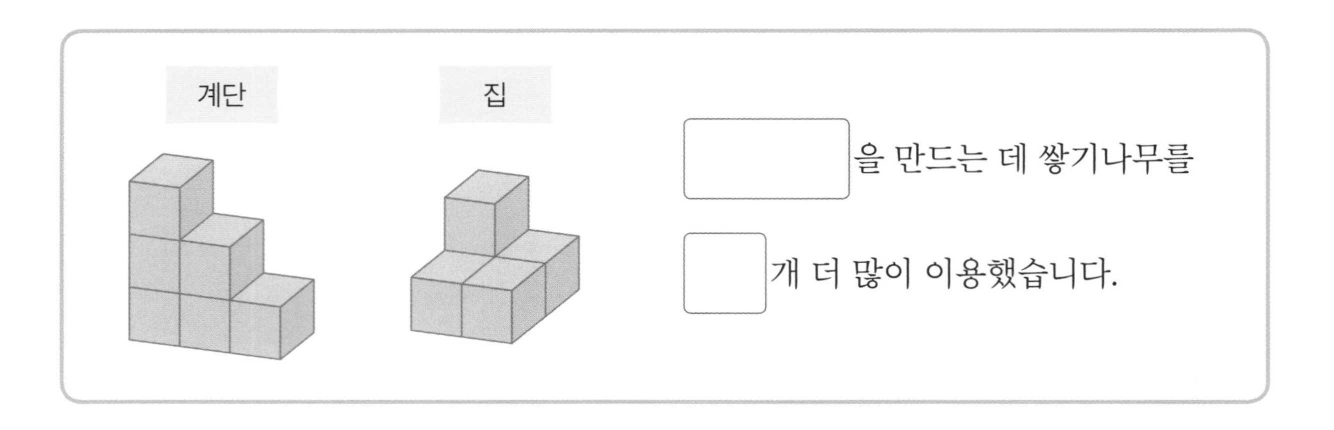

계단
집
을 만드는 데 쌓기나무를
개 더 많이 이용했습니다.

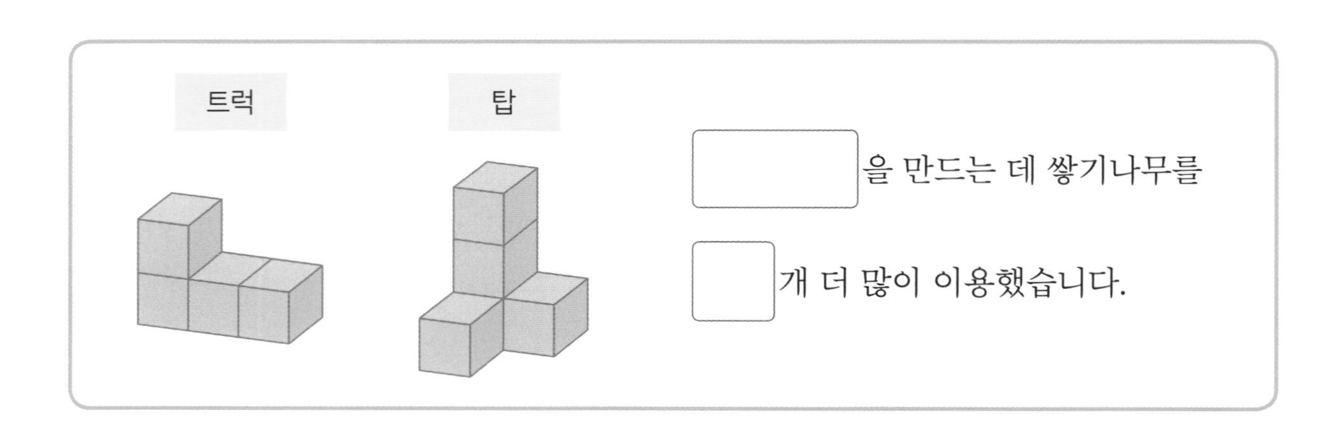

트럭
탑
을 만드는 데 쌓기나무를
개 더 많이 이용했습니다.

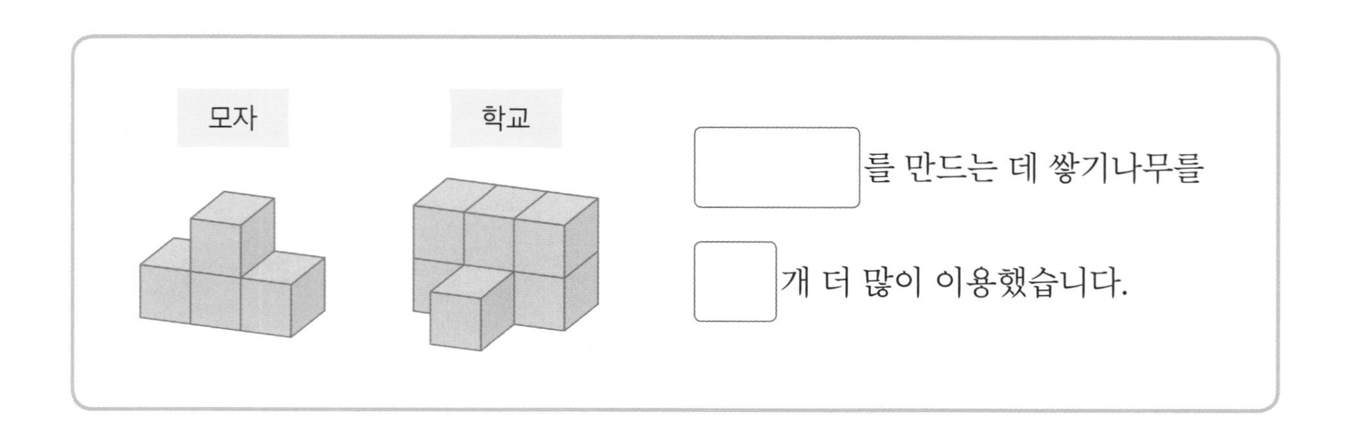

모자
학교
를 만드는 데 쌓기나무를
개 더 많이 이용했습니다.

3주차
31~35일

모양 설명하기

쌓기나무의 위치 (1)

설명하는 쌓기나무를 찾아 ◯표 하세요.

빨간색 쌓기나무의
위에 있는 쌓기나무

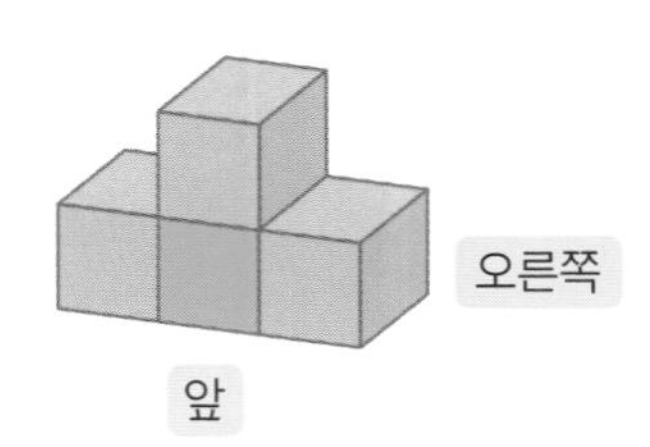

빨간색 쌓기나무의
왼쪽에 있는 쌓기나무

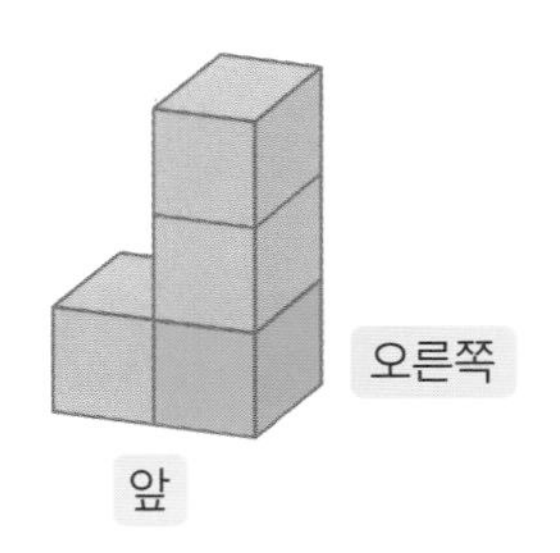

빨간색 쌓기나무의
오른쪽에 있는 쌓기나무

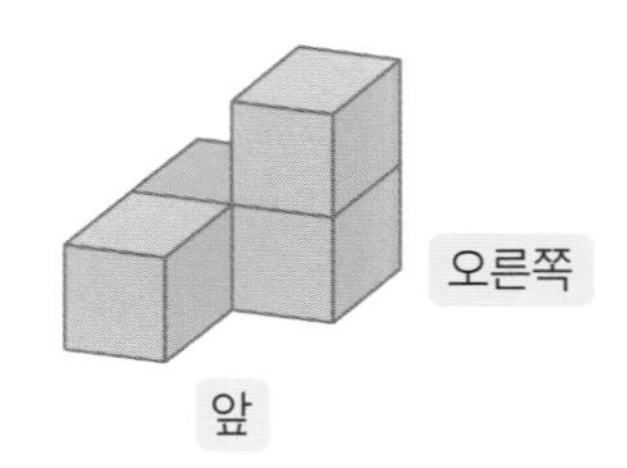

빨간색 쌓기나무의
앞에 있는 쌓기나무

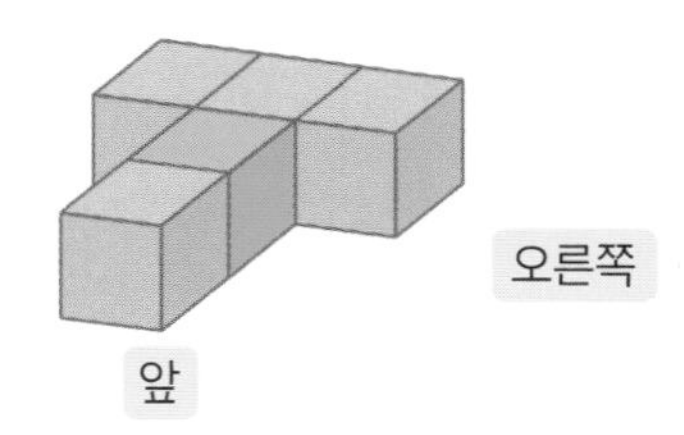

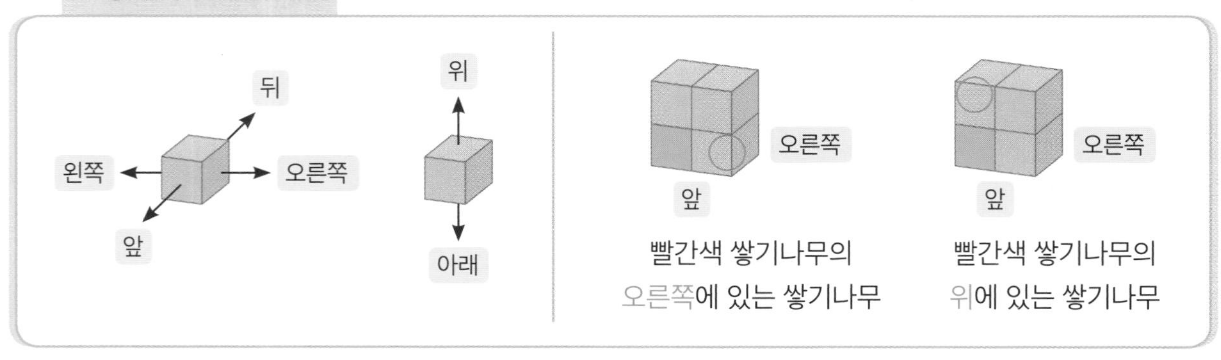

설명하는 쌓기나무를 찾아 색칠해 보세요.

빨간색 쌓기나무의
앞에 있는 쌓기나무

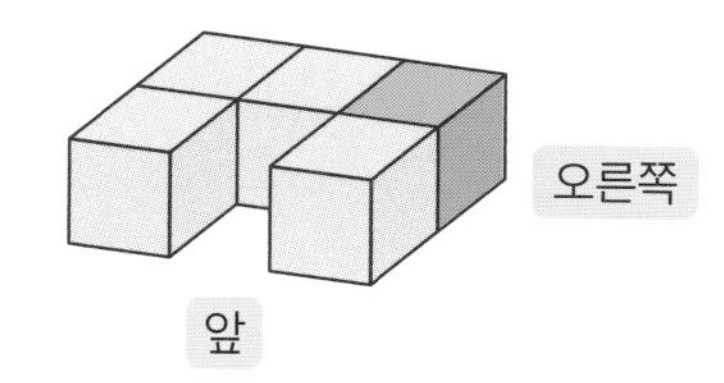

빨간색 쌓기나무의
오른쪽에 있는 쌓기나무

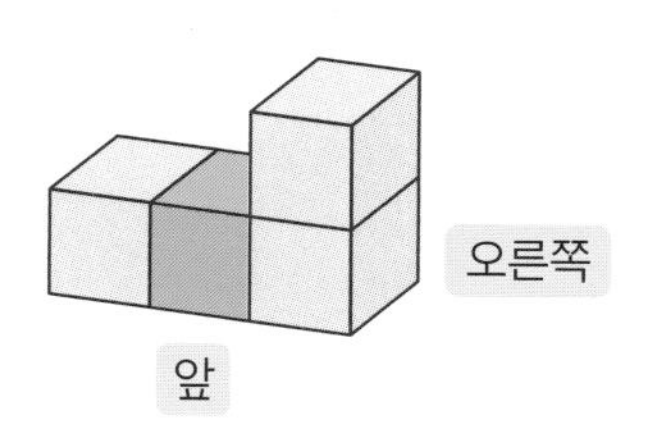

빨간색 쌓기나무의
아래에 있는 쌓기나무

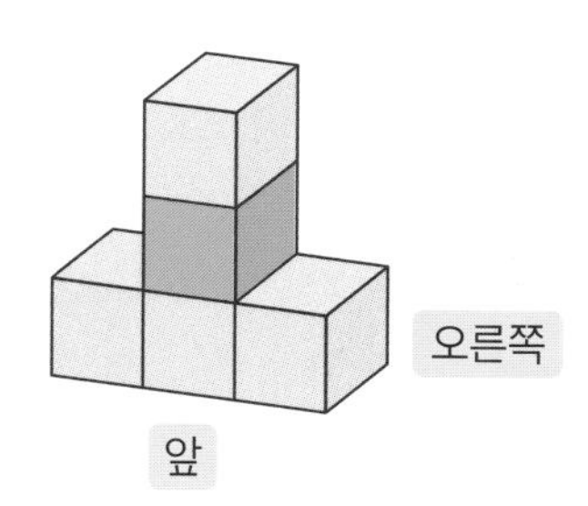

빨간색 쌓기나무의
뒤에 있는 쌓기나무

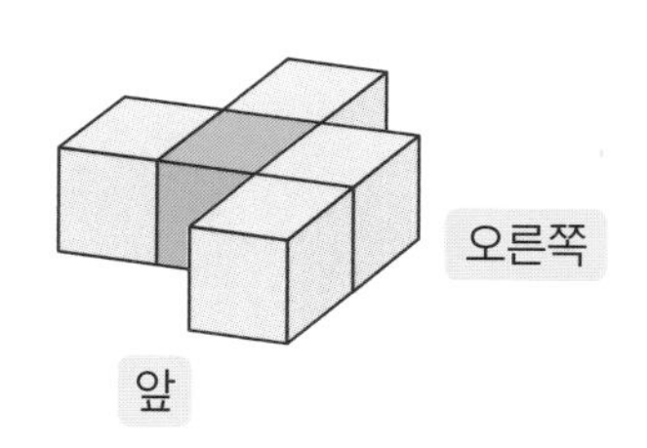

빨간색 쌓기나무의
왼쪽에 있는 쌓기나무

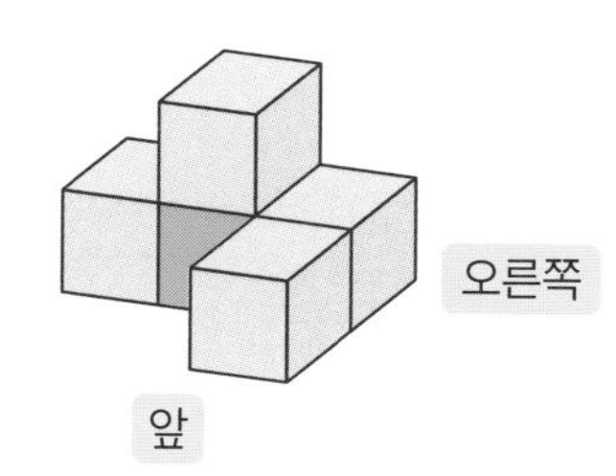

빨간색 쌓기나무의
위에 있는 쌓기나무

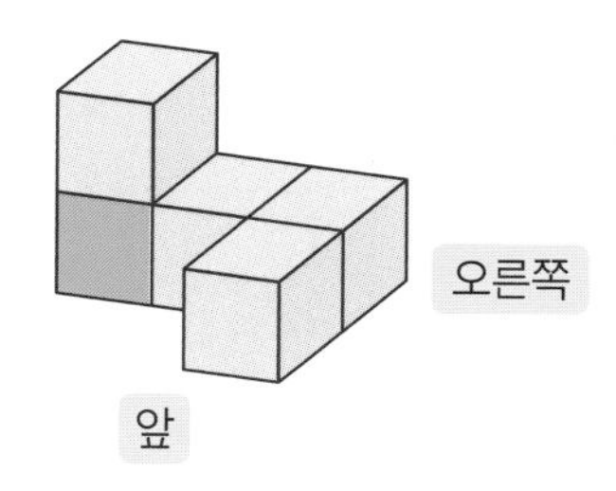

쌓기나무의 위치 (2)

알맞은 말에 ◯표 하세요.

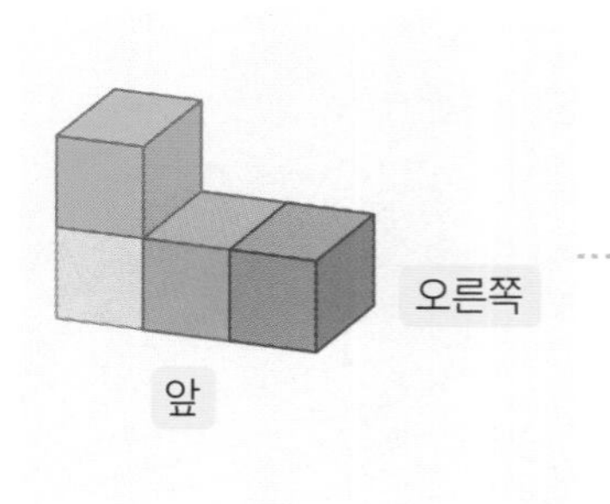

빨간색 쌓기나무의
(위 , 아래)에 노란색
쌓기나무가 있습니다.

초록색 쌓기나무의
왼쪽에 (노란색 , 파란색)
쌓기나무가 있습니다.

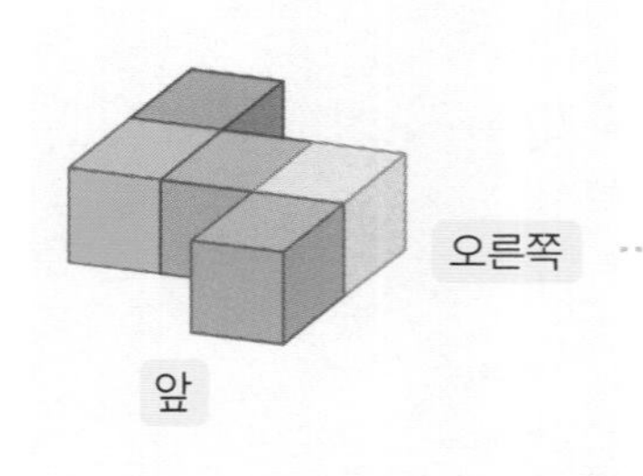

노란색 쌓기나무의
(앞 , 왼쪽)에 보라색
쌓기나무가 있습니다.

빨간색 쌓기나무의
뒤에 (파란색 , 보라색)
쌓기나무가 있습니다.

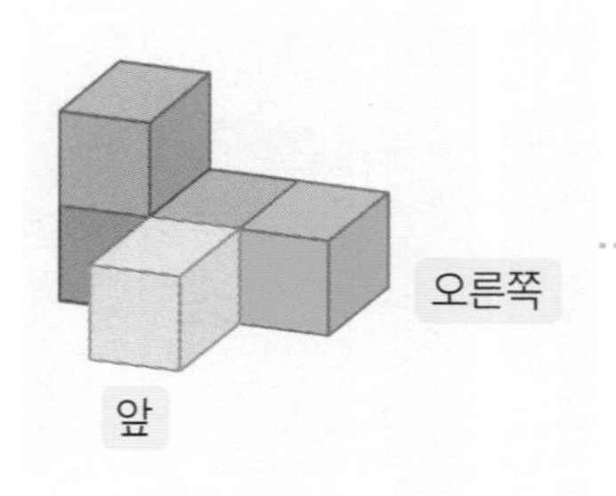

파란색 쌓기나무의
(위 , 오른쪽)에 초록색
쌓기나무가 있습니다.

보라색 쌓기나무의
오른쪽에 (노란색 , 빨간색)
쌓기나무가 있습니다.

조건에 맞게 쌓기나무를 색칠해 보세요.

- 빨간색 쌓기나무의 아래에 초록색 쌓기나무
- 노란색 쌓기나무의 앞에 파란색 쌓기나무

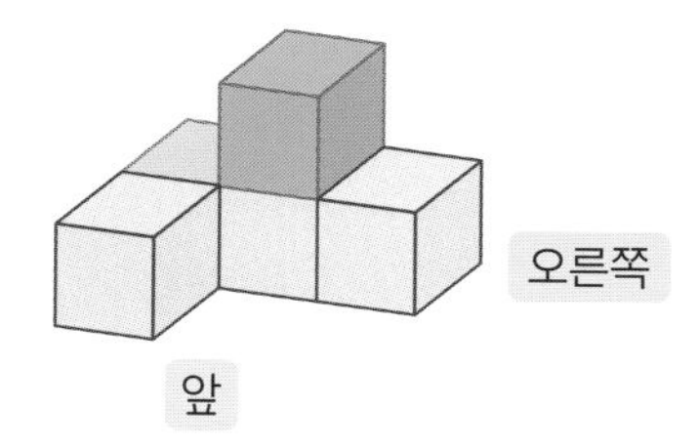

- 초록색 쌓기나무의 위에 노란색 쌓기나무
- 파란색 쌓기나무의 오른쪽에 빨간색 쌓기나무

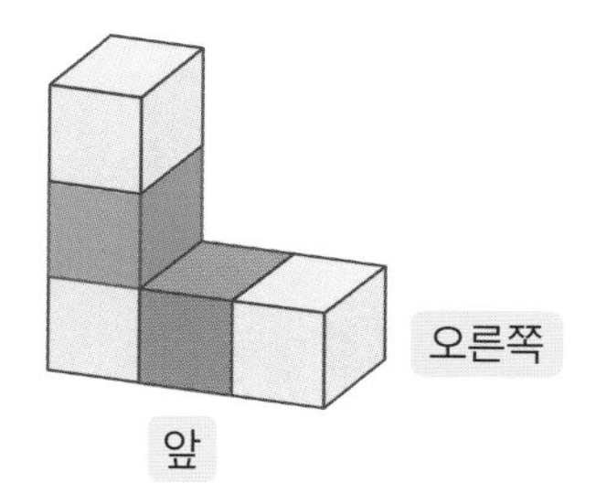

- 보라색 쌓기나무의 오른쪽에 초록색 쌓기나무
- 빨간색 쌓기나무의 앞에 파란색 쌓기나무

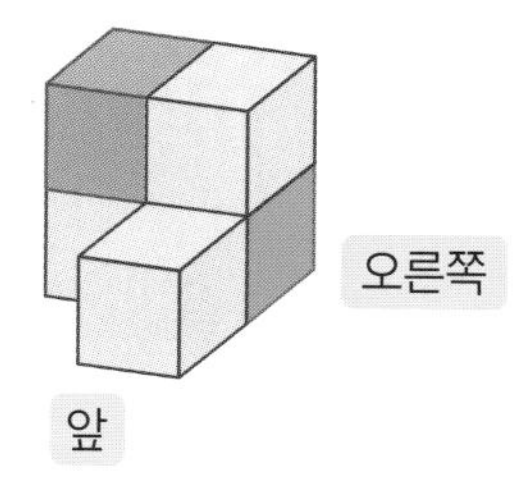

- 노란색 쌓기나무의 뒤에 파란색 쌓기나무
- 초록색 쌓기나무의 왼쪽에 빨간색 쌓기나무

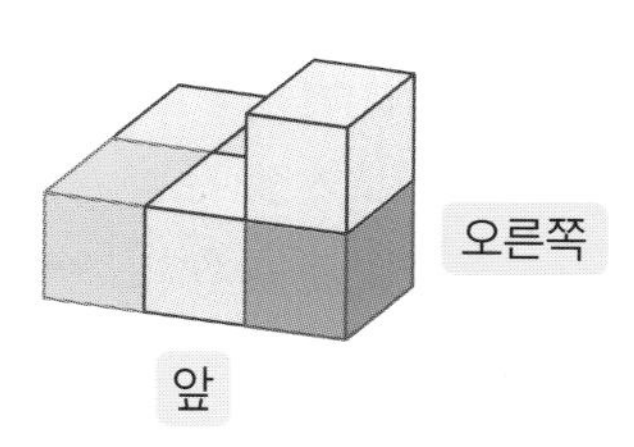

33일 설명대로 쌓기

설명대로 쌓은 모양을 찾아 이어 보세요.

2개가 옆으로 나란히 있고, 오른쪽 쌓기나무 위에 2개가 있습니다.

3개가 옆으로 나란히 있고, 가운데 쌓기나무 앞에 1개가 있습니다.

2개가 앞뒤로 나란히 있고, 뒤쪽 쌓기나무의 오른쪽에 2개가 2층으로 있습니다.

1층에 ㄱ 모양으로 3개가 있고, 뒤에서 왼쪽 쌓기나무 위에 2개가 있습니다.

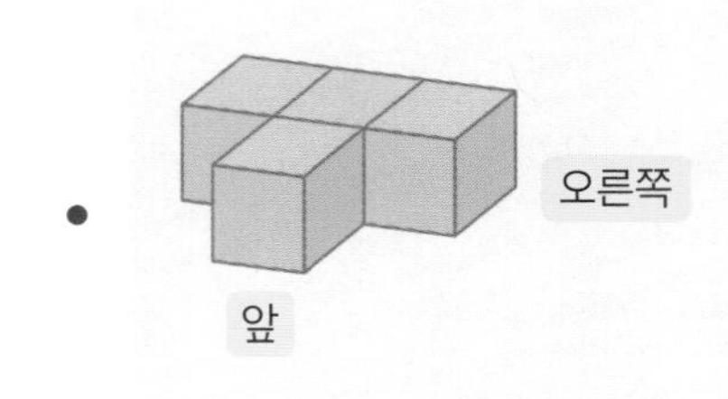

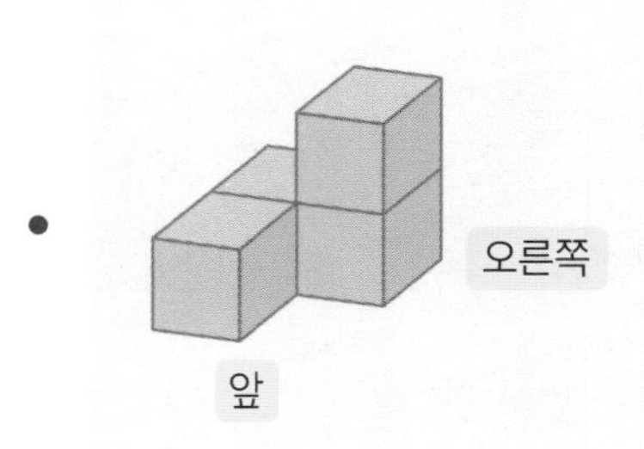

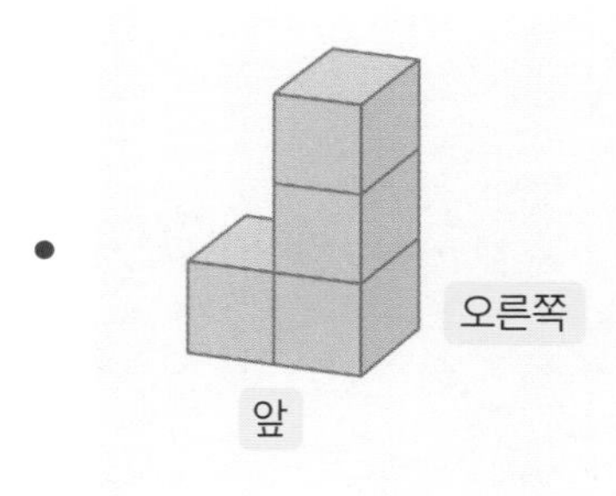

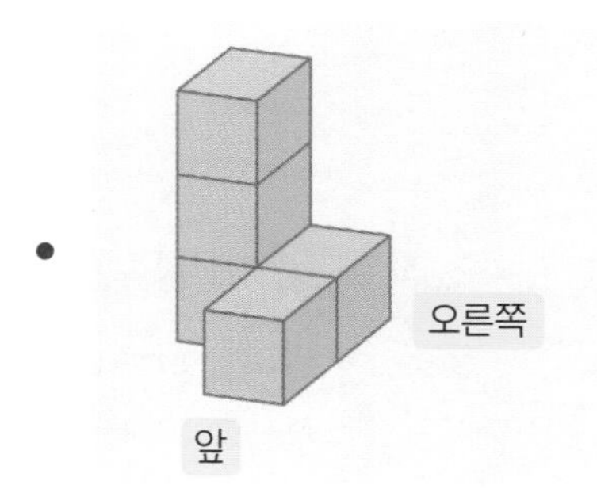

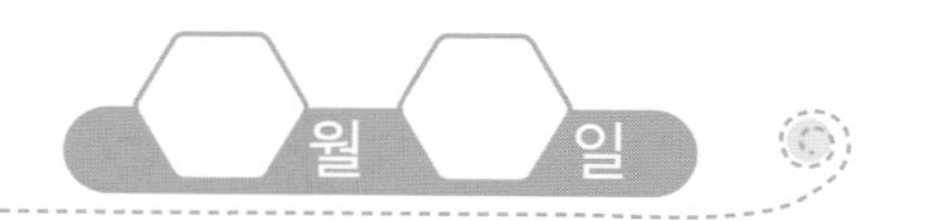

설명대로 쌓은 모양을 찾아 ◯표 하세요.

2개가 옆으로 나란히 있고, 오른쪽 쌓기나무 위에 1개,
왼쪽 쌓기나무 앞에 1개가 있습니다.

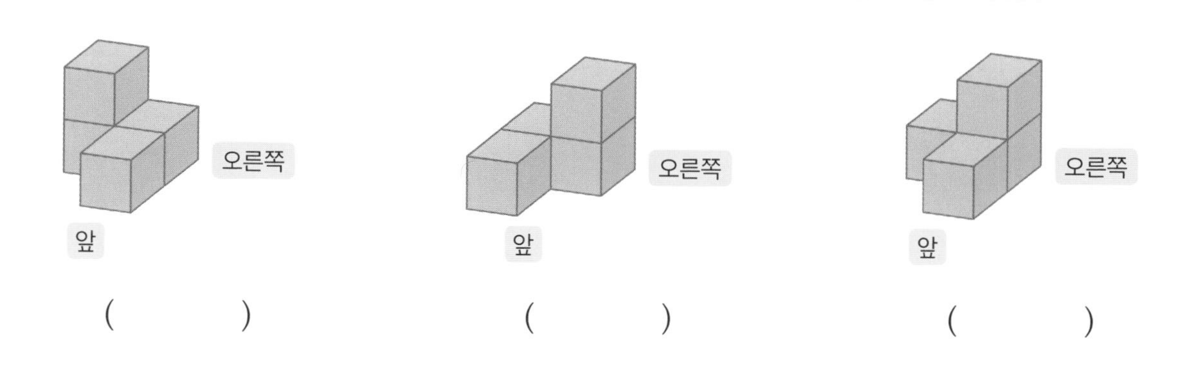

(　　　)　　(　　　)　　(　　　)

1층에 ㅁ 모양으로 4개가 있고,
왼쪽 뒤에 있는 쌓기나무 위에 2개가 있습니다.

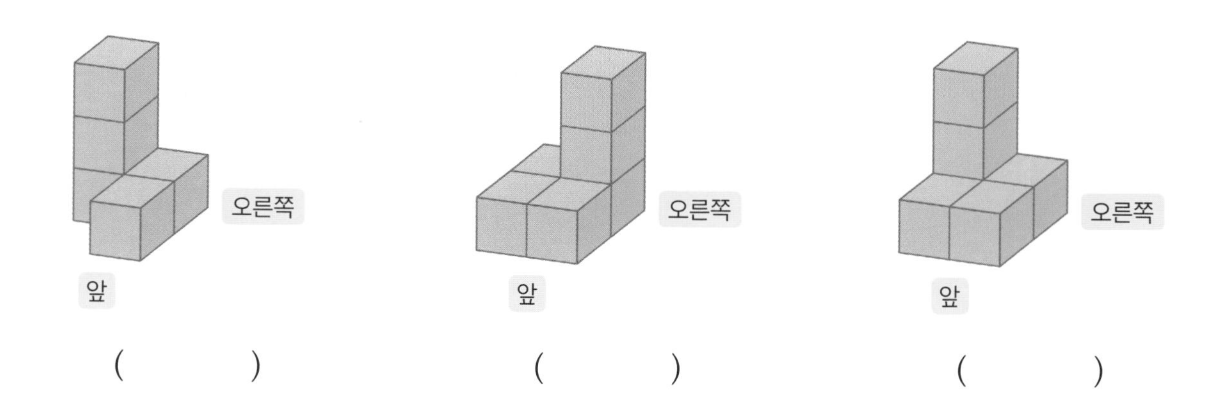

(　　　)　　(　　　)　　(　　　)

쌓은 모양 설명하기

알맞은 말에 ◯표 하세요.

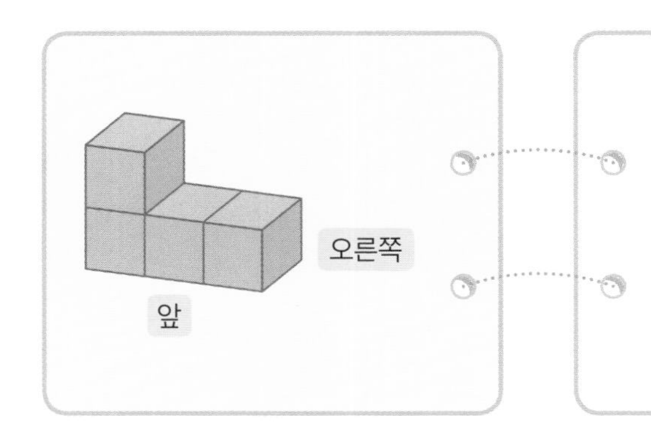

쌓기나무 (2 , 3)개가 옆으로 나란히 있고, (오른쪽 , 왼쪽) 쌓기나무 위에 1개가 있습니다.

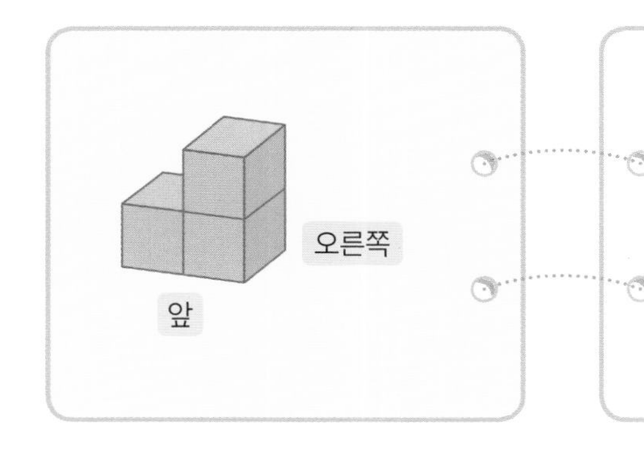

쌓기나무 1개가 있고, 그 (오른쪽 , 왼쪽)에 쌓기나무 (1 , 2)개가 2층으로 있습니다.

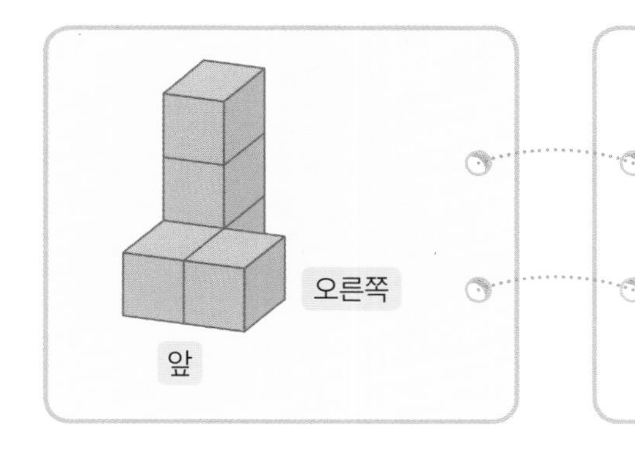

1층에 ㄴ 모양으로 3개가 있고, 맨 뒤의 쌓기나무 (위 , 왼쪽)에 (2 , 3)개가 있습니다.

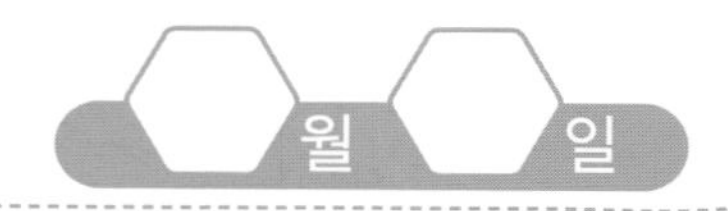

알맞은 말에 ◯표 하세요.

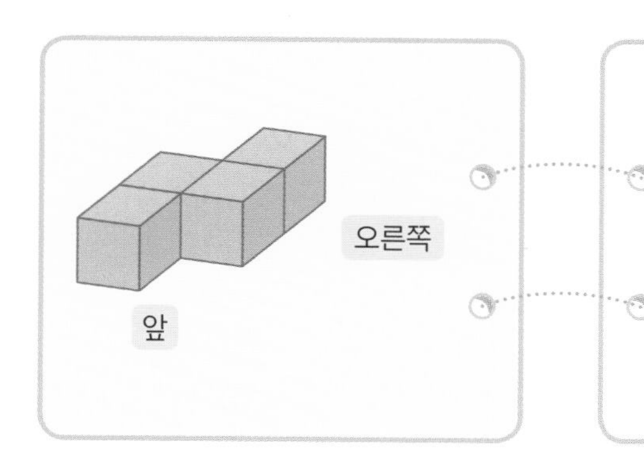

쌓기나무 2개가 옆으로 나란히 있고, 왼쪽 쌓기나무 (앞 , 뒤)에 1개, 오른쪽 쌓기나무 (앞 , 뒤)에 1개가 있습니다.

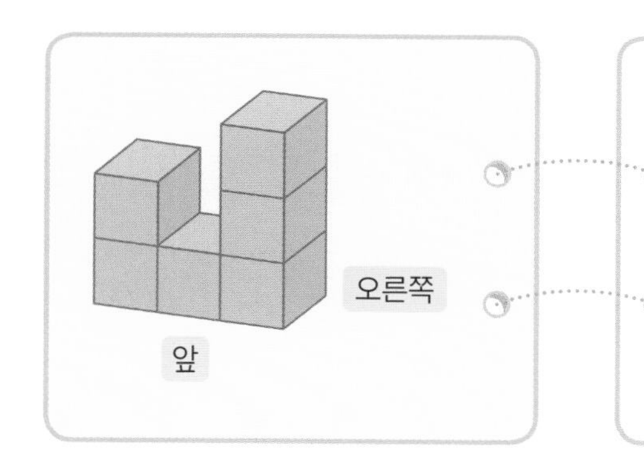

쌓기나무 3개가 옆으로 나란히 있고, 왼쪽 쌓기나무 (앞 , 위)에 1개, 오른쪽 쌓기나무 위에 (2 , 3)개가 있습니다.

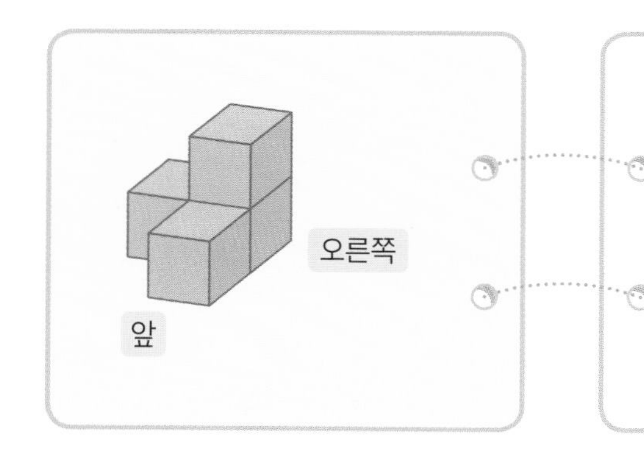

쌓기나무 2개가 2층으로 있고, 1층 쌓기나무의 (오른쪽 , 왼쪽)에 1개, (앞 , 뒤)에 1개가 있습니다.

35일 바르게 설명하기

빈칸에 알맞은 수 또는 말을 써넣으세요.

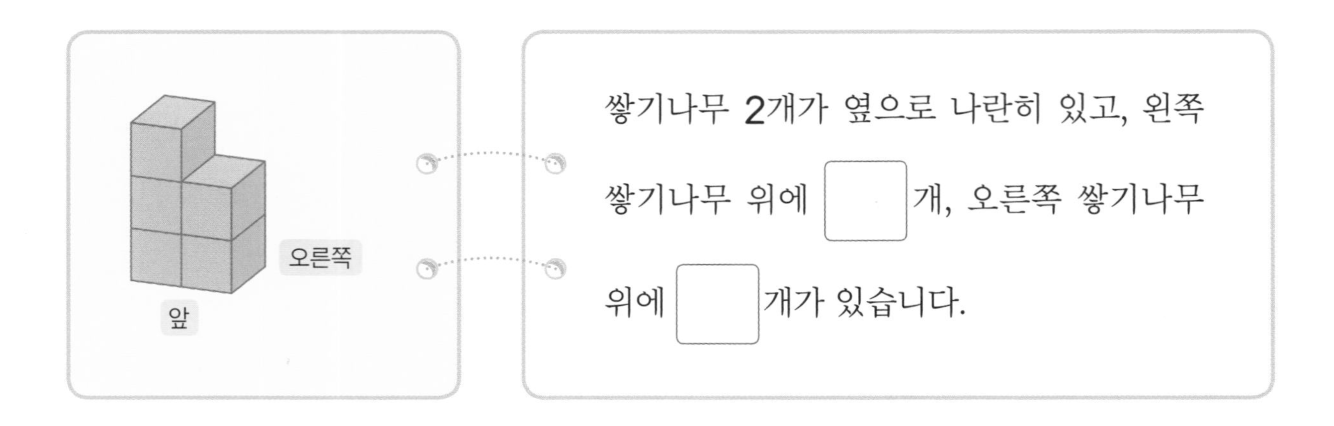

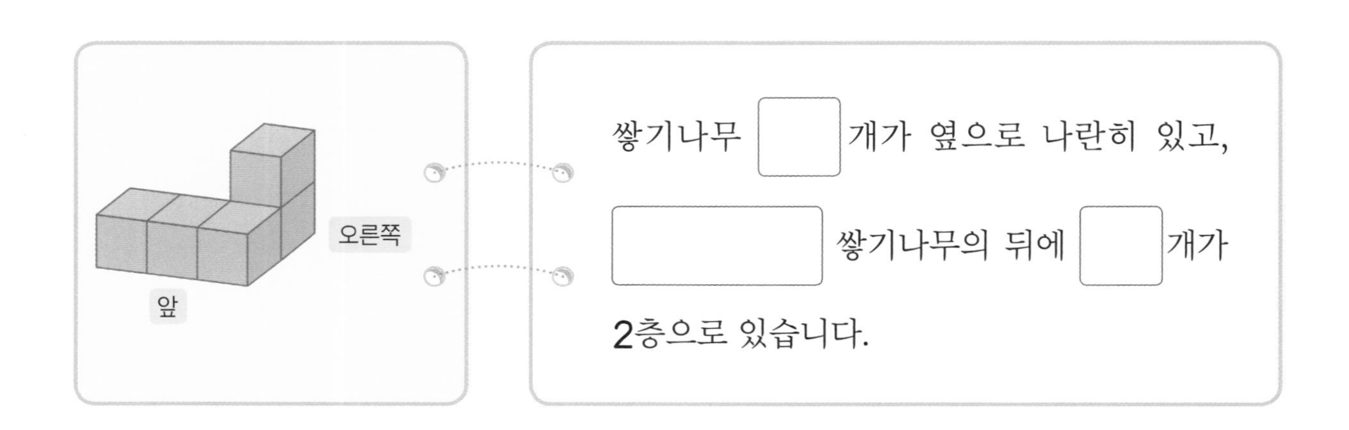

오른쪽
앞
쌓기나무 □개가 옆으로 나란히 있고, □ 쌓기나무의 뒤에 □개가 2층으로 있습니다.

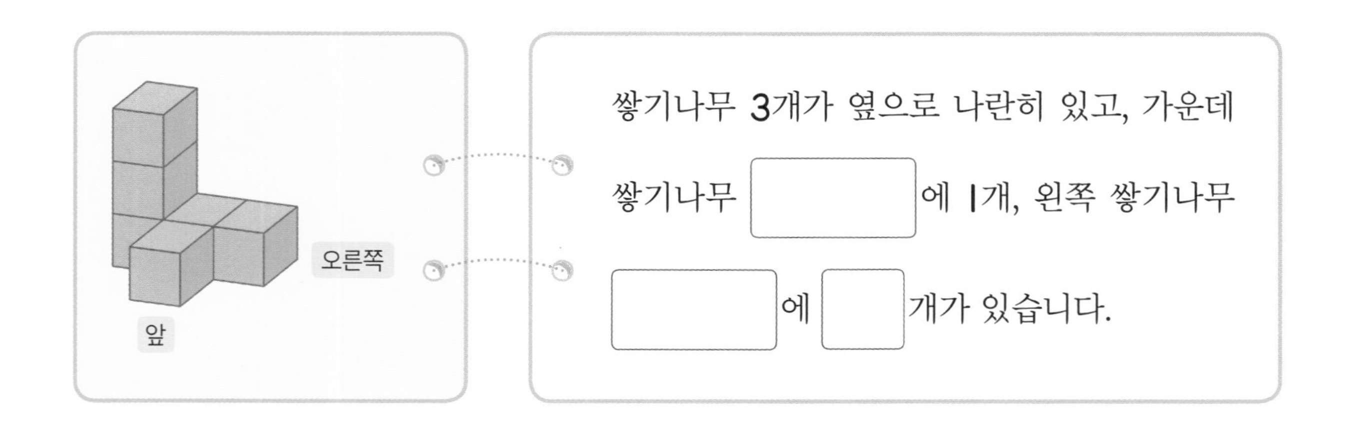

오른쪽
앞
쌓기나무 3개가 옆으로 나란히 있고, 가운데 쌓기나무 □에 1개, 왼쪽 쌓기나무 □에 □개가 있습니다.

11 쌓은 모양을 설명한 것입니다. 틀린 부분 2군데를 찾아 모두 ╳표 하고, 바르게 고쳐 보세요.

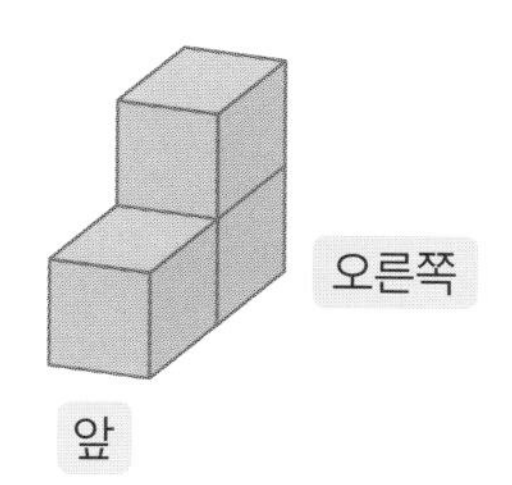

쌓기나무 1개가 있고, 그 ~~앞~~(뒤)에 쌓기나무 2개가 ~~3~~(2)층으로 있습니다.

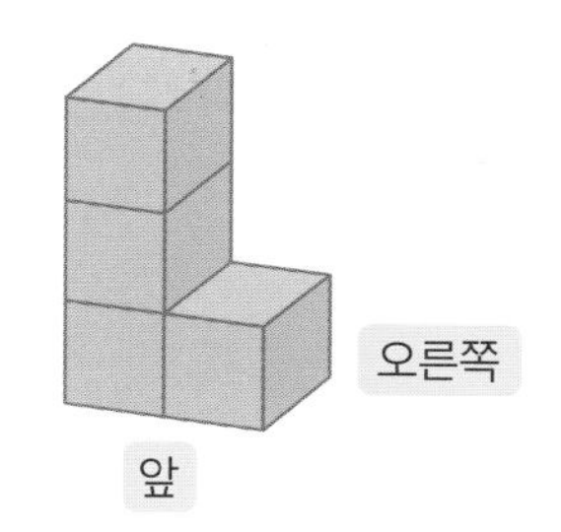

쌓기나무 3개가 3층으로 있고, 1층 쌓기나무의 왼쪽에 2개가 있습니다.

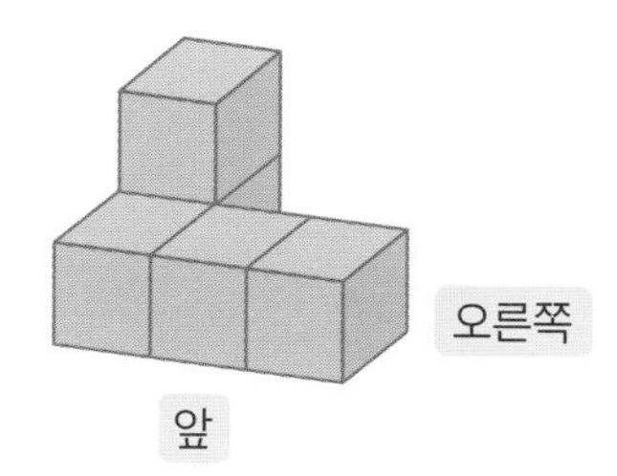

쌓기나무 3개가 옆으로 나란히 있고, 오른쪽 쌓기나무 앞에 2개가 2층으로 있습니다.

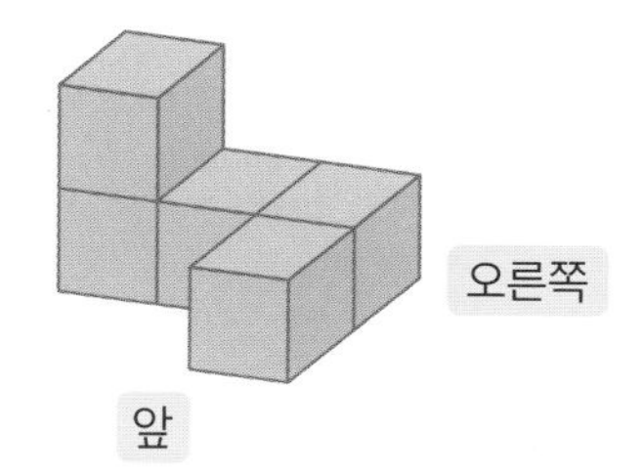

쌓기나무 3개가 옆으로 나란히 있고, 오른쪽 쌓기나무 뒤에 1개, 왼쪽 쌓기나무 위에 2개가 있습니다.

설명에 맞는 모양에 ◯표 하세요.

• 1층에 3개, 2층에 2개, 3층에 1개가 있습니다.
• 1층 가운데 쌓기나무 위에는 쌓기나무가 없습니다.

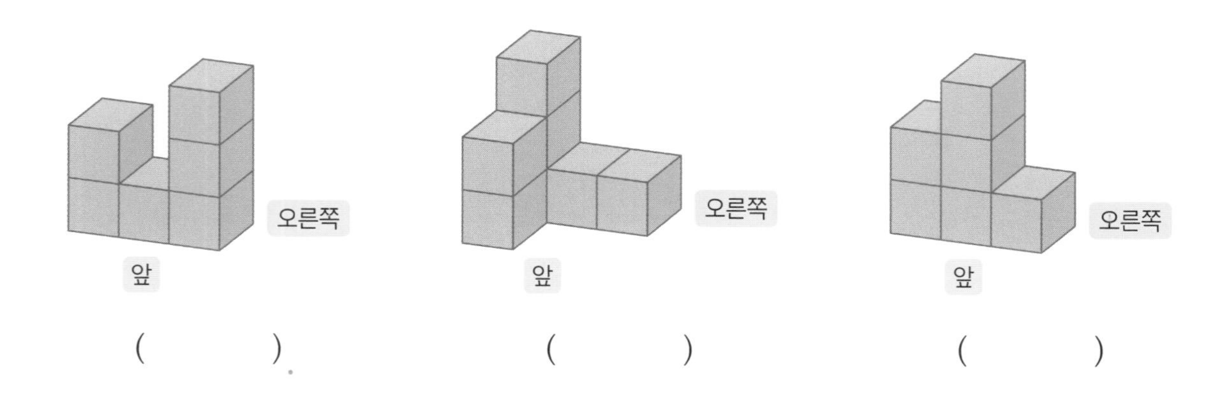

( ) ( ) ( )

• 쌓기나무 6개를 이용했습니다.
• 2층에 있는 쌓기나무 2개는 나란히 붙어 있습니다.

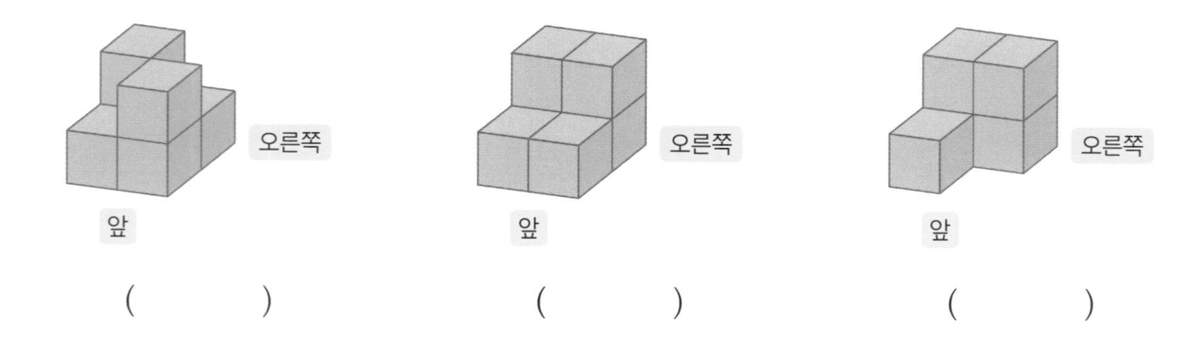

( ) ( ) ( )

4주차
36~40일

쌓기나무 규칙

36일 개수가 반복되는 규칙 (1)

규칙에 따라 쌓기나무를 쌓았습니다. 빈칸에 놓이는 모양을 찾아 ◯표 하세요.

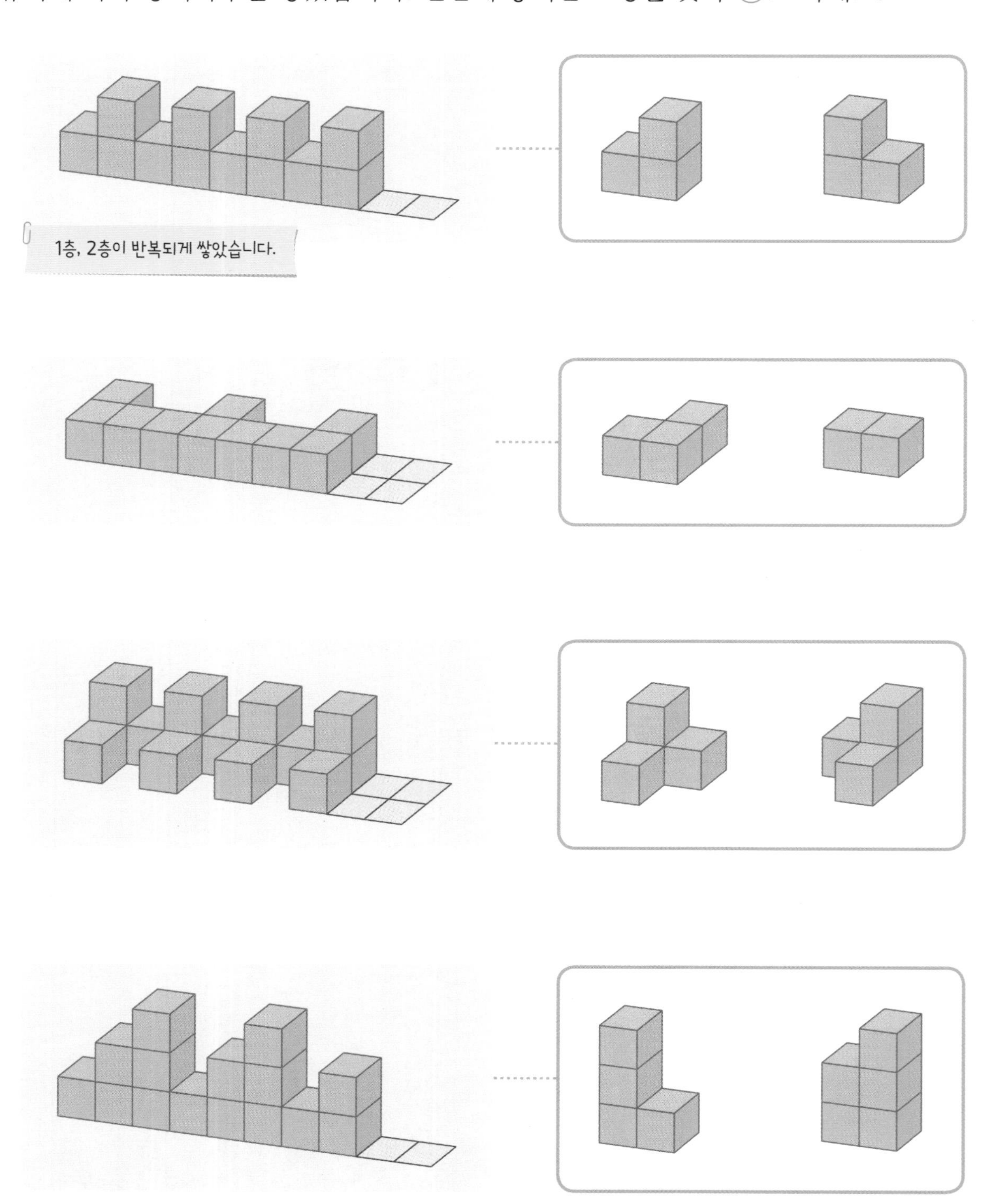

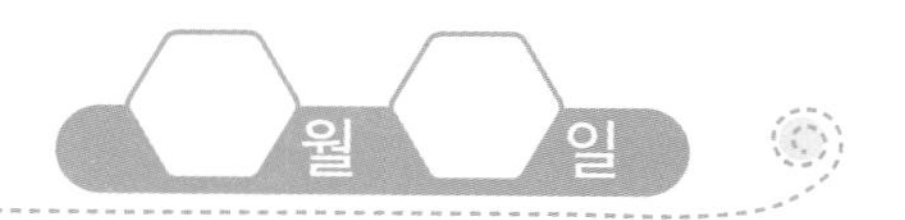

규칙에 따라 쌓기나무를 쌓았습니다. 두 빈칸에 놓이는 쌓기나무 개수의 합을 구해 보세요.

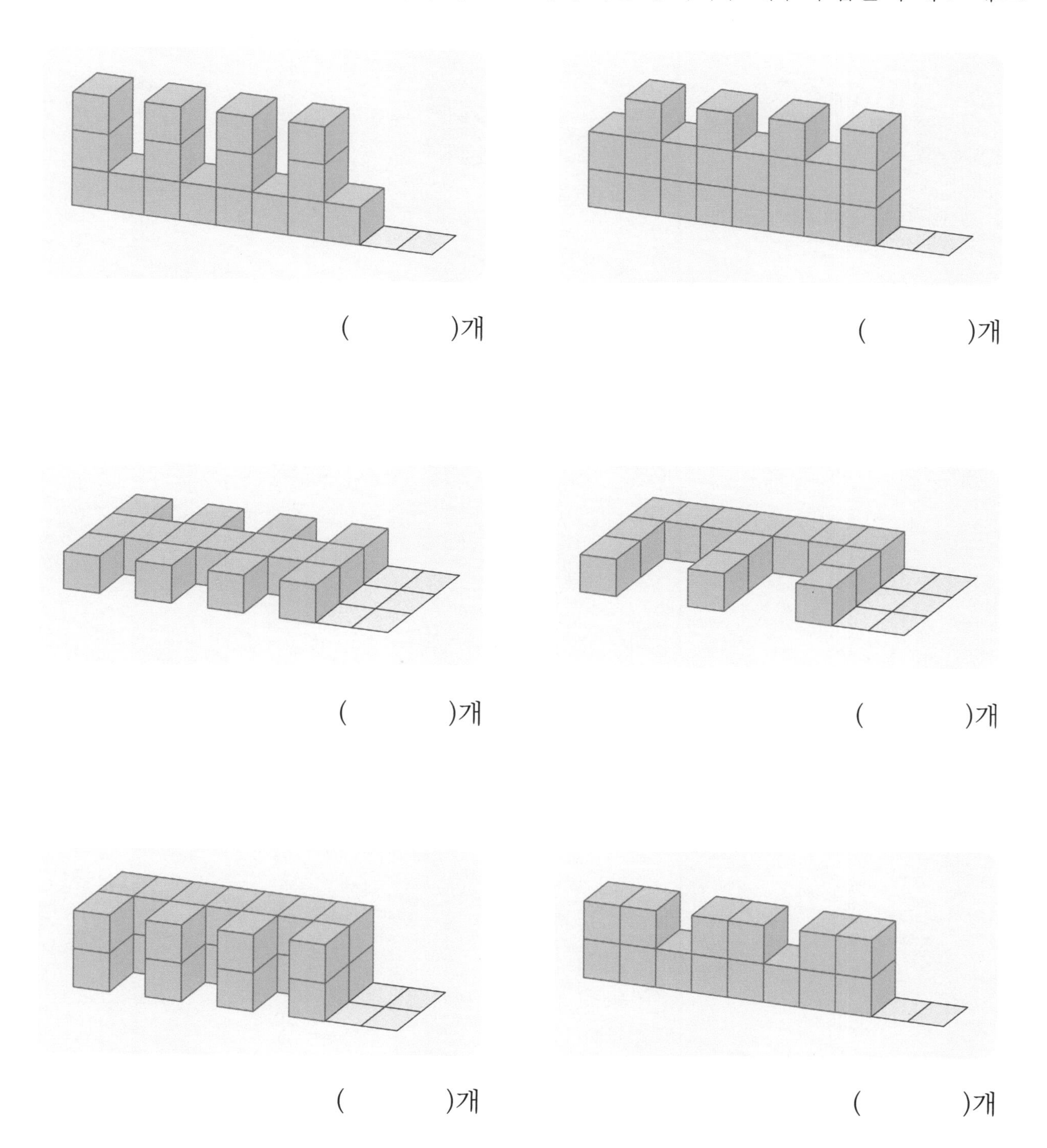

( )개

( )개

( )개

( )개

( )개

( )개

37일 개수가 반복되는 규칙 (2)

규칙에 따라 쌓기나무를 쌓았습니다. 빈 곳에 놓이는 쌓기나무의 개수를 구해 보세요.

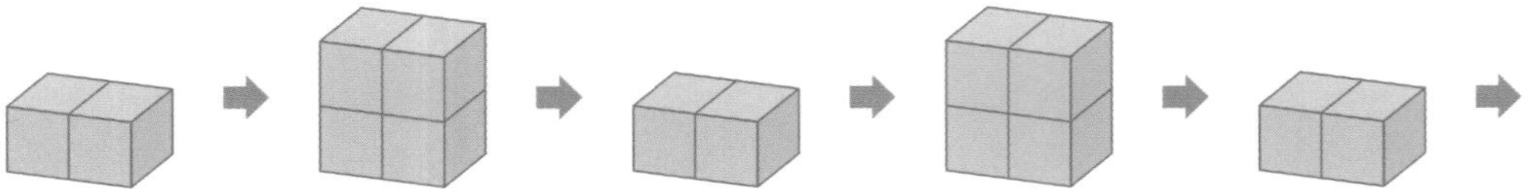

➡ ➡ ➡ ➡ ➡ □개

쌓기나무의 수가 2개, 4개가 반복됩니다.

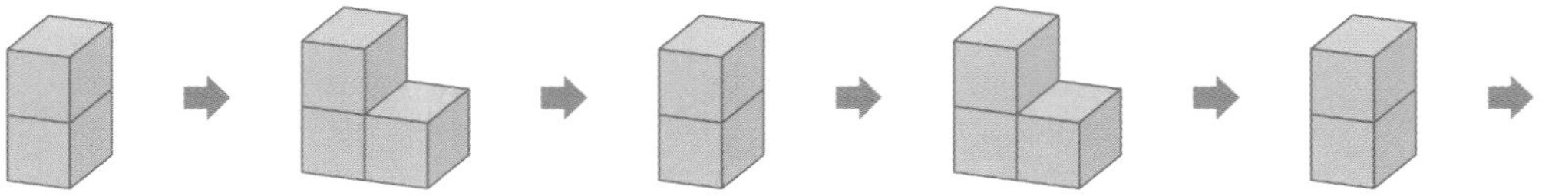

➡ ➡ ➡ ➡ ➡ □개

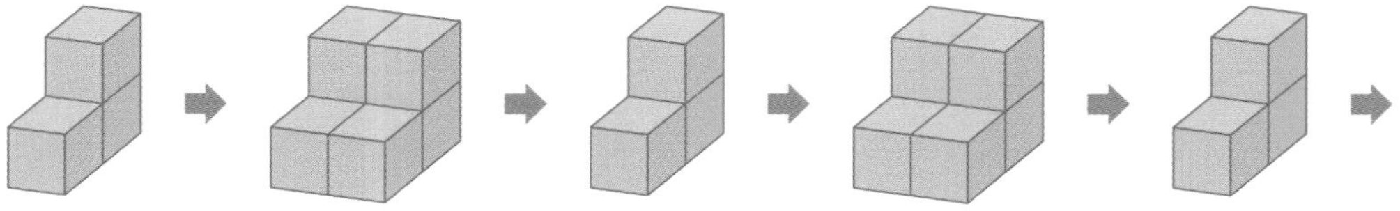

➡ ➡ ➡ ➡ ➡ □개

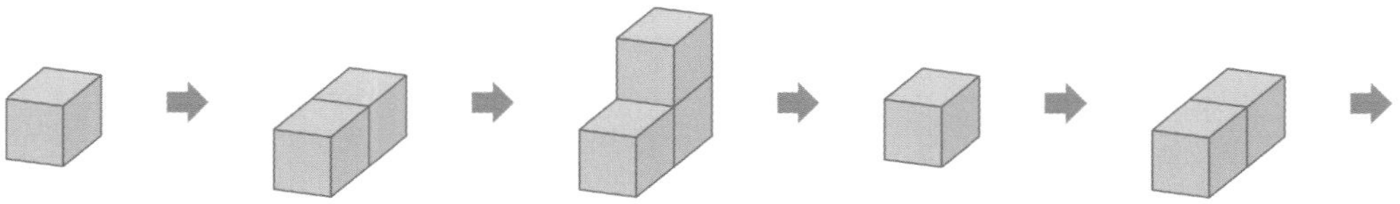

➡ ➡ ➡ ➡ ➡ □개

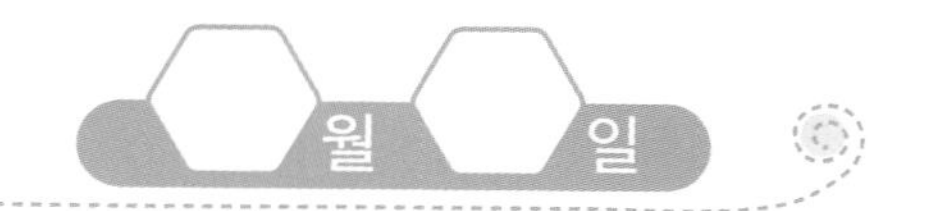

규칙에 따라 쌓기나무를 쌓았습니다. 빈 곳에 놓이는 쌓기나무의 개수를 구해 보세요.

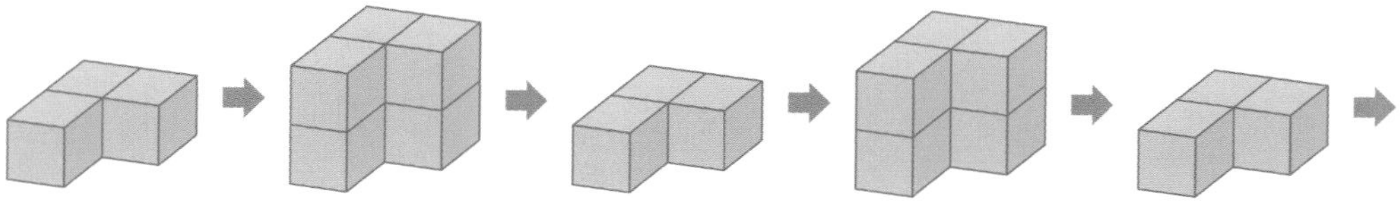

□개

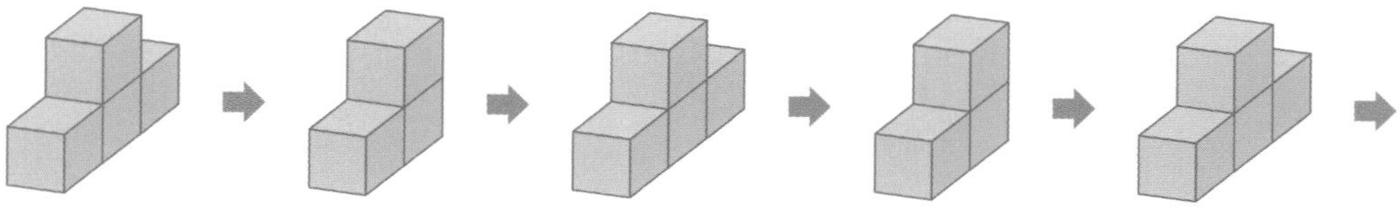

□개

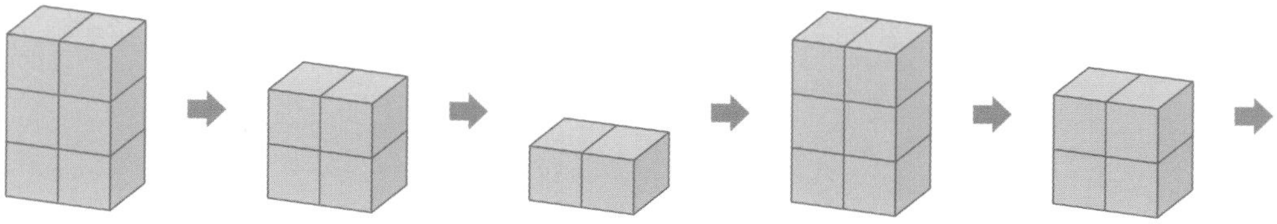

□개

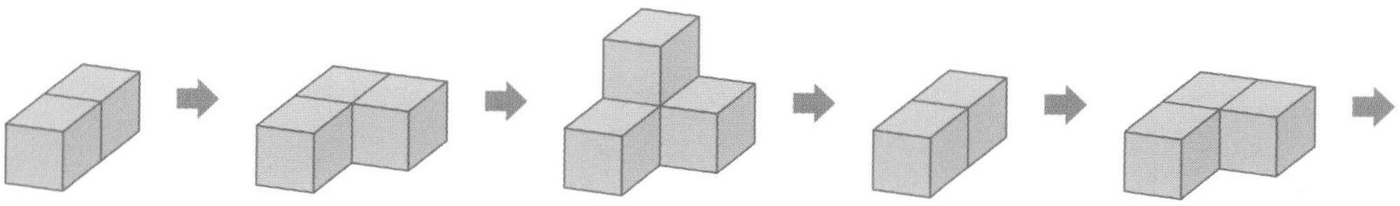

□개

38일 개수가 늘어나는 규칙

1 규칙에 따라 쌓기나무를 쌓았습니다. 이어질 모양을 찾아 ◯표 하세요.

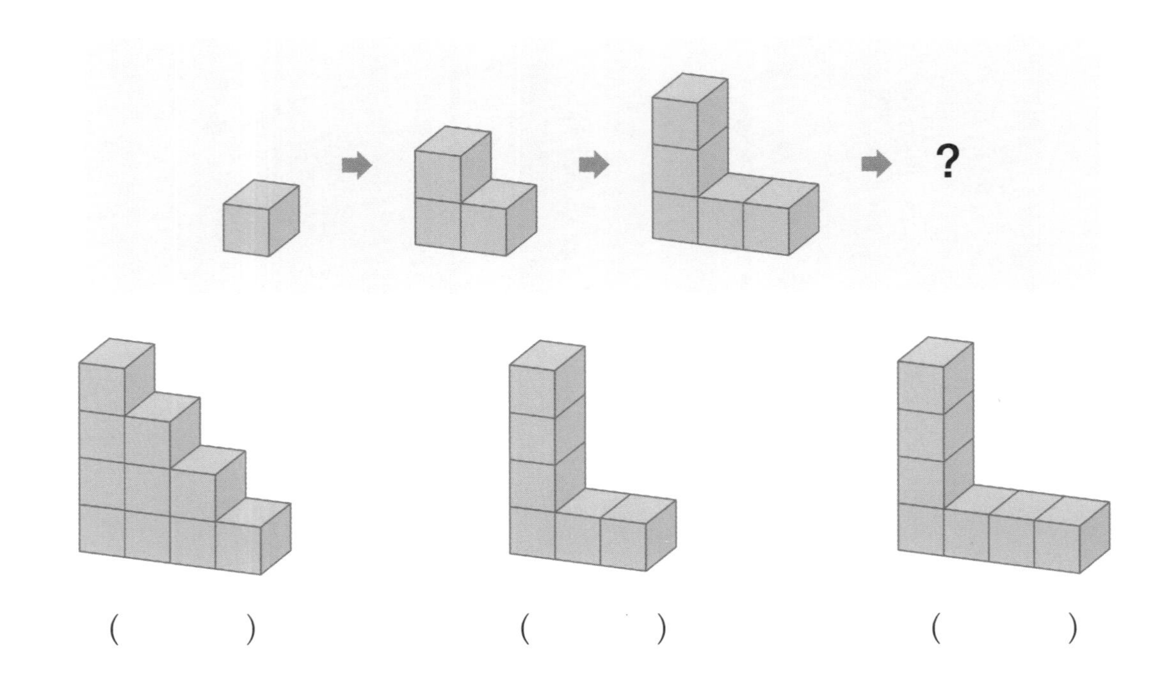

( ) ( ) ( )

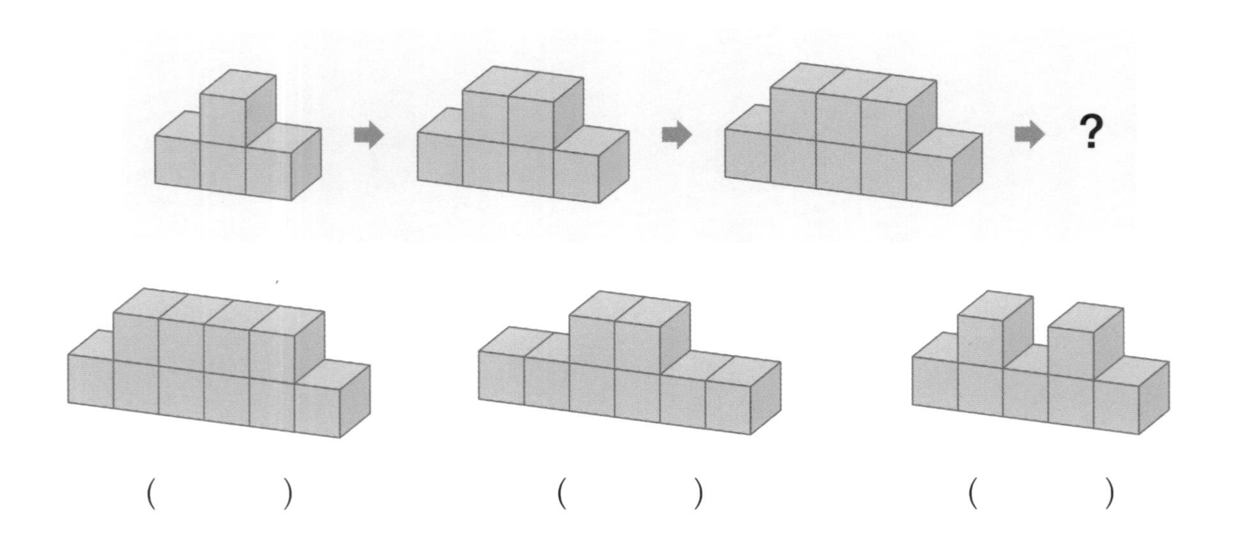

( ) ( ) ( )

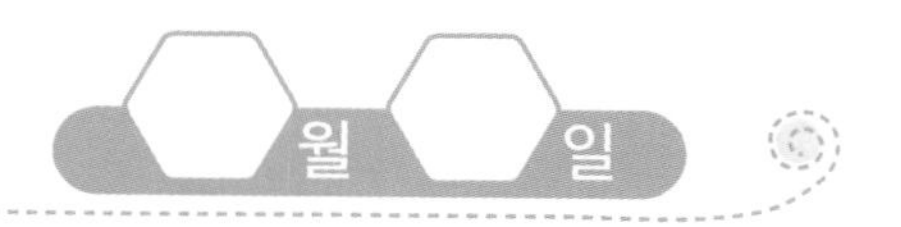

규칙에 따라 쌓기나무를 쌓았습니다. 이어질 모양에 쌓을 쌓기나무의 개수를 구해 보세요.

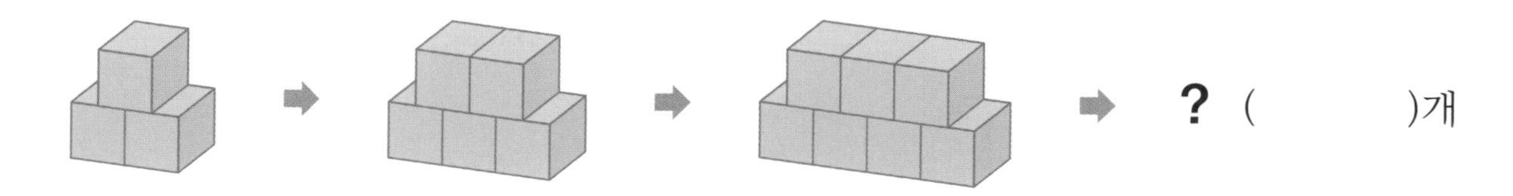

? (　　　　)개

? (　　　　)개

? (　　　　)개

? (　　　　)개

39일 규칙 말하기

1 규칙에 따라 쌓기나무를 쌓았습니다. 빈칸에 알맞은 수를 써넣으세요.

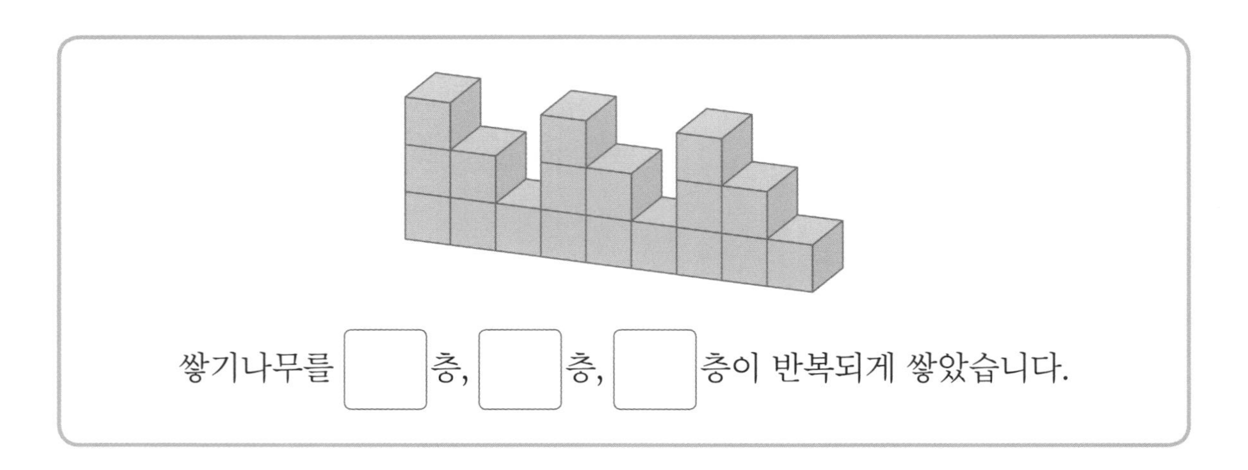

쌓기나무를 □층, □층, □층이 반복되게 쌓았습니다.

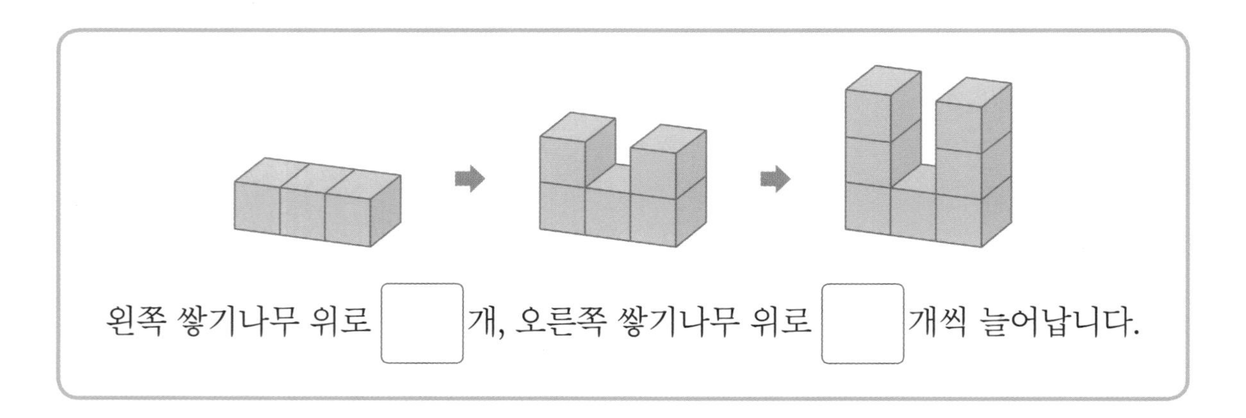

왼쪽 쌓기나무 위로 □개, 오른쪽 쌓기나무 위로 □개씩 늘어납니다.

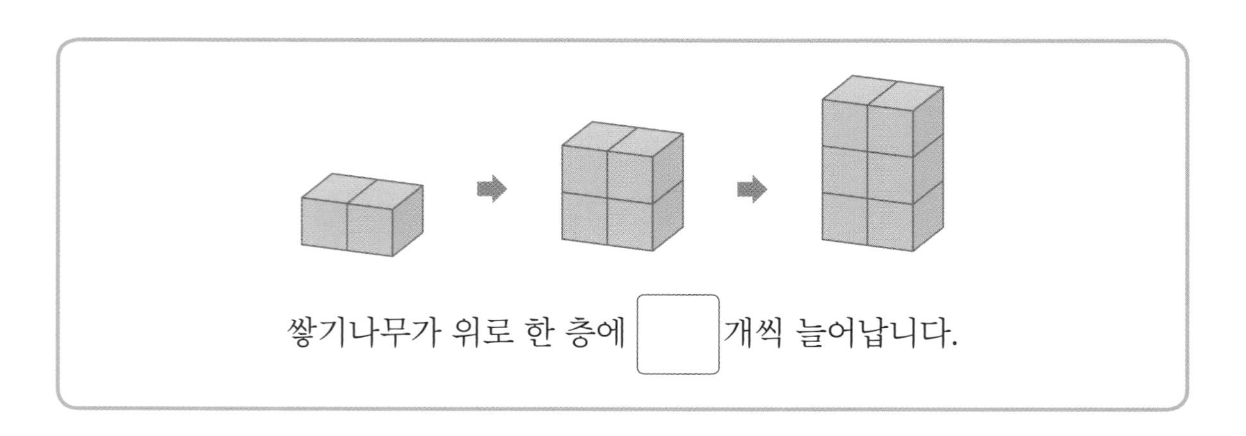

쌓기나무가 위로 한 층에 □개씩 늘어납니다.

규칙에 따라 쌓기나무를 쌓았습니다. 규칙을 바르게 말한 것에 ○표 하세요.

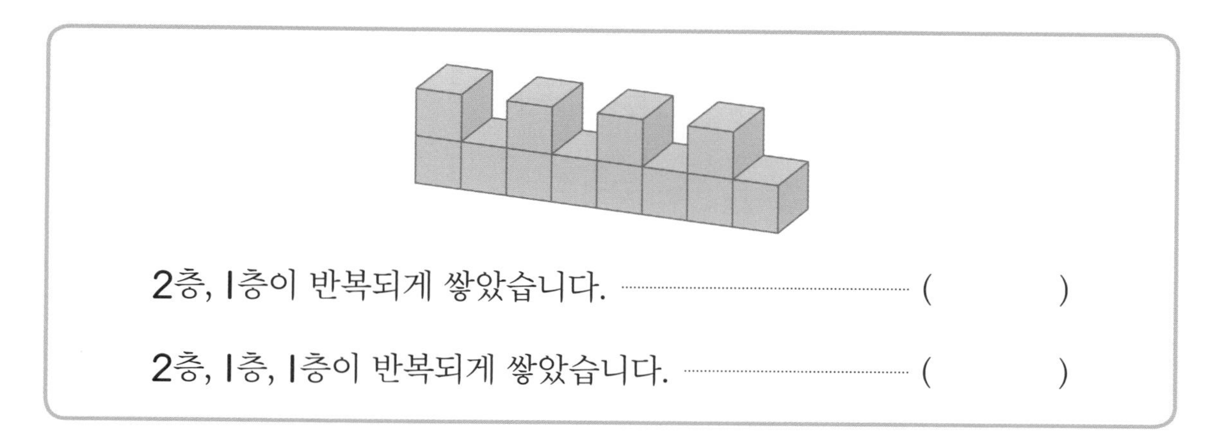

2층, 1층이 반복되게 쌓았습니다. ( )

2층, 1층, 1층이 반복되게 쌓았습니다. ( )

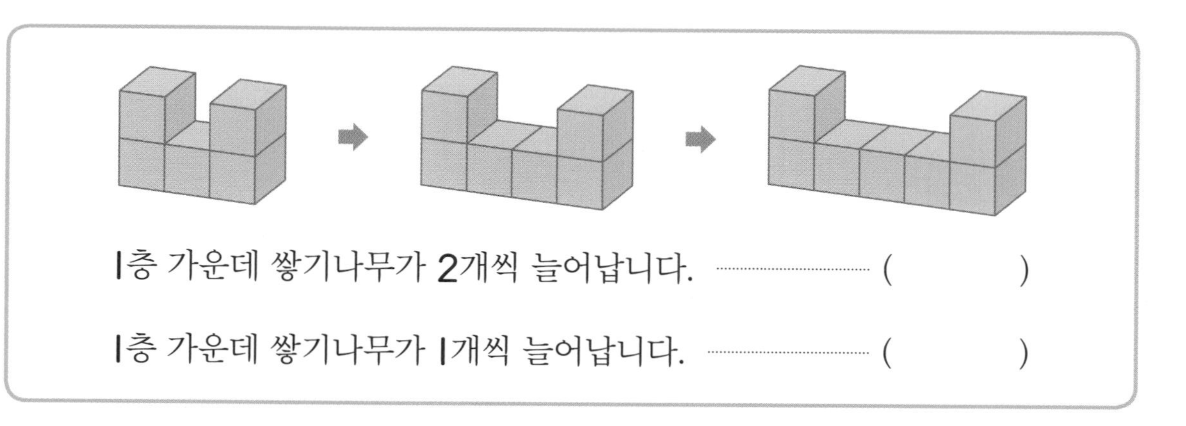

1층 가운데 쌓기나무가 2개씩 늘어납니다. ( )

1층 가운데 쌓기나무가 1개씩 늘어납니다. ( )

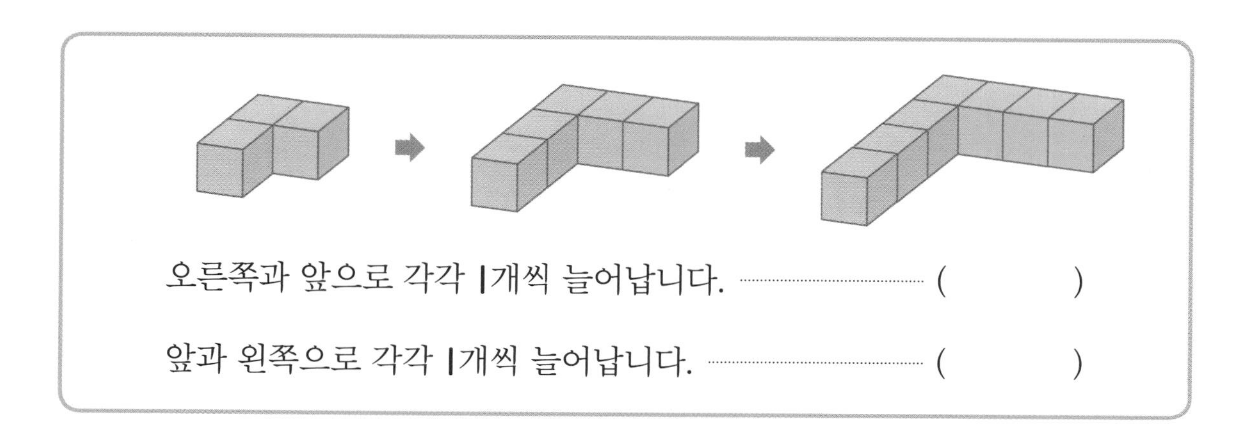

오른쪽과 앞으로 각각 1개씩 늘어납니다. ( )

앞과 왼쪽으로 각각 1개씩 늘어납니다. ( )

40일 규칙 찾기

규칙에 따라 쌓기나무를 쌓았습니다. 물음에 답하세요.

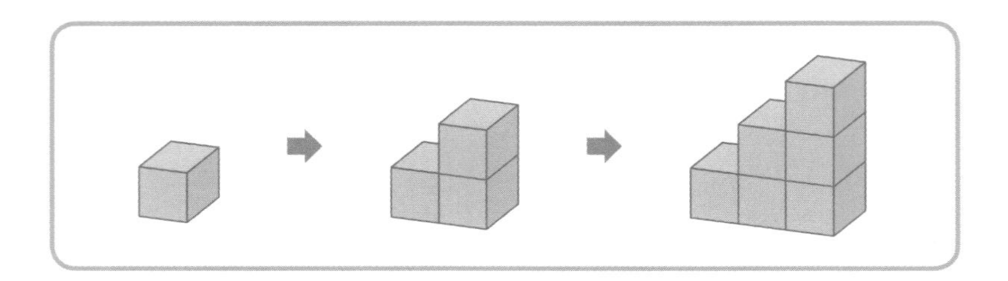

3층으로 쌓은 모양에서 이용한 쌓기나무는 몇 개일까요? (　　　)개

4층으로 쌓으려면 쌓기나무는 모두 몇 개 필요할까요? (　　　)개

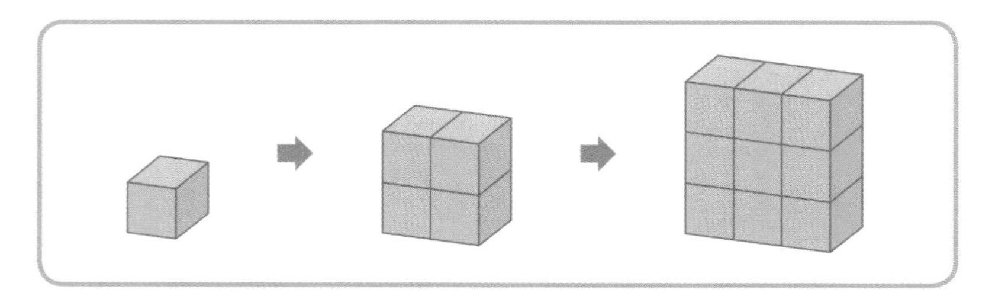

3층으로 쌓은 모양에서 이용한 쌓기나무는 몇 개일까요? (　　　)개

4층으로 쌓으려면 쌓기나무는 모두 몇 개 필요할까요? (　　　)개

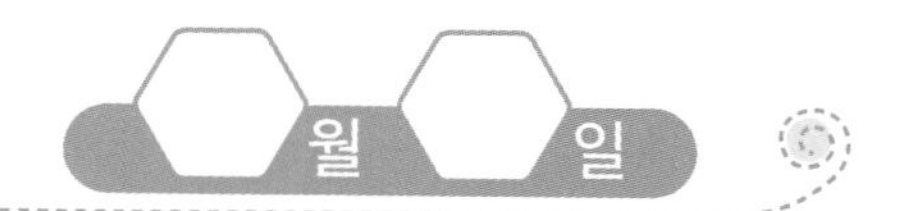

물음에 답하세요.

규칙에 따라 쌓기나무를 쌓았습니다. 4층으로 쌓으려면 쌓기나무는 모두 몇 개 필요할까요?

(　　　)개

규칙에 따라 쌓기나무를 쌓았습니다. 4층으로 쌓으려면 쌓기나무는 모두 몇 개 필요할까요?

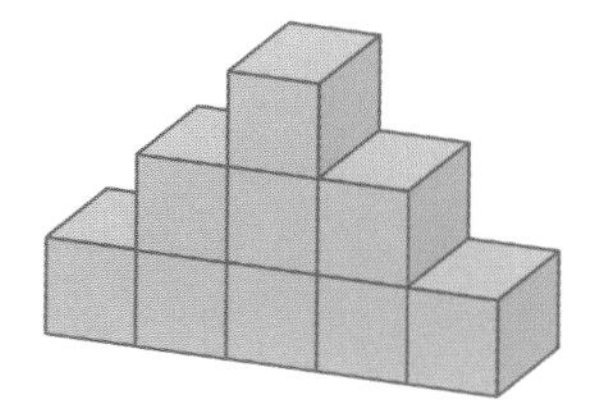

(　　　)개

물음에 답하세요.

규칙에 따라 쌓기나무를 쌓았습니다. 이어질 모양에 쌓을 쌓기나무는 모두 몇 개일까요?

?

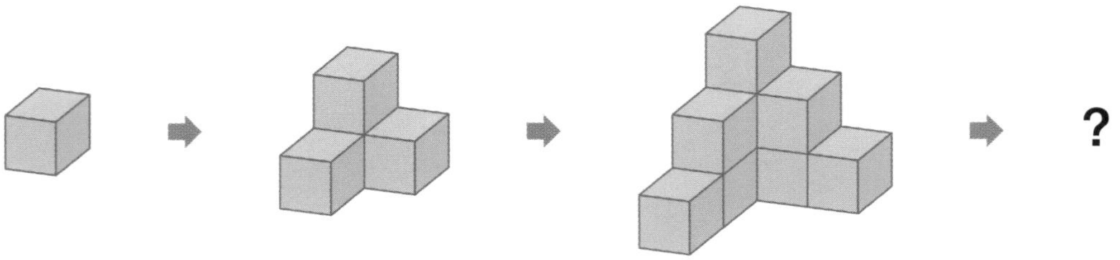

( )개

규칙에 따라 쌓기나무를 쌓았습니다. 이어질 모양에 쌓을 쌓기나무는 모두 몇 개일까요?

?

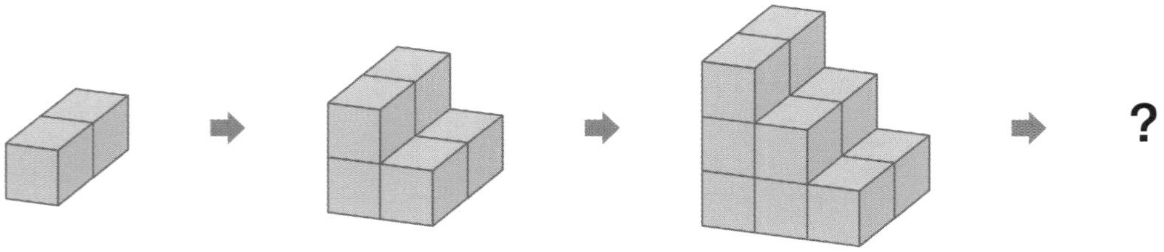

( )개

도형 플러스 +

- 위, 앞, 옆 -

위, 앞, 옆 찾기

쌓기나무로 쌓은 모양의 위, 앞, 옆에서 본 모양을 찾아 이어 보세요.

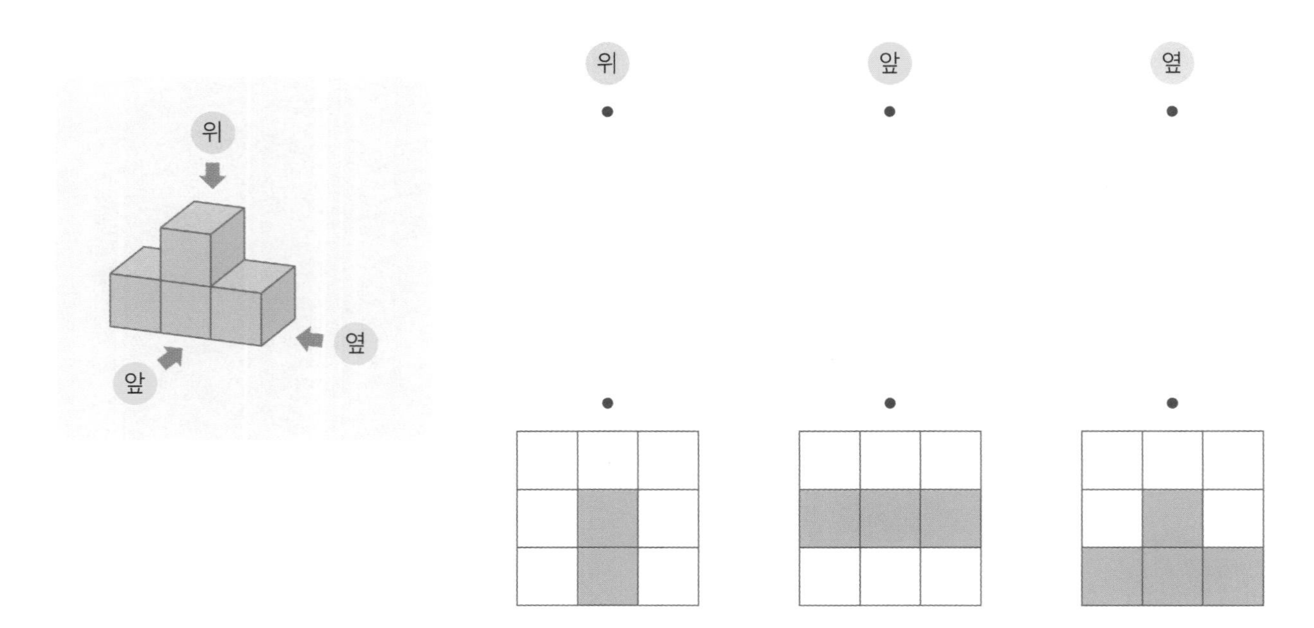

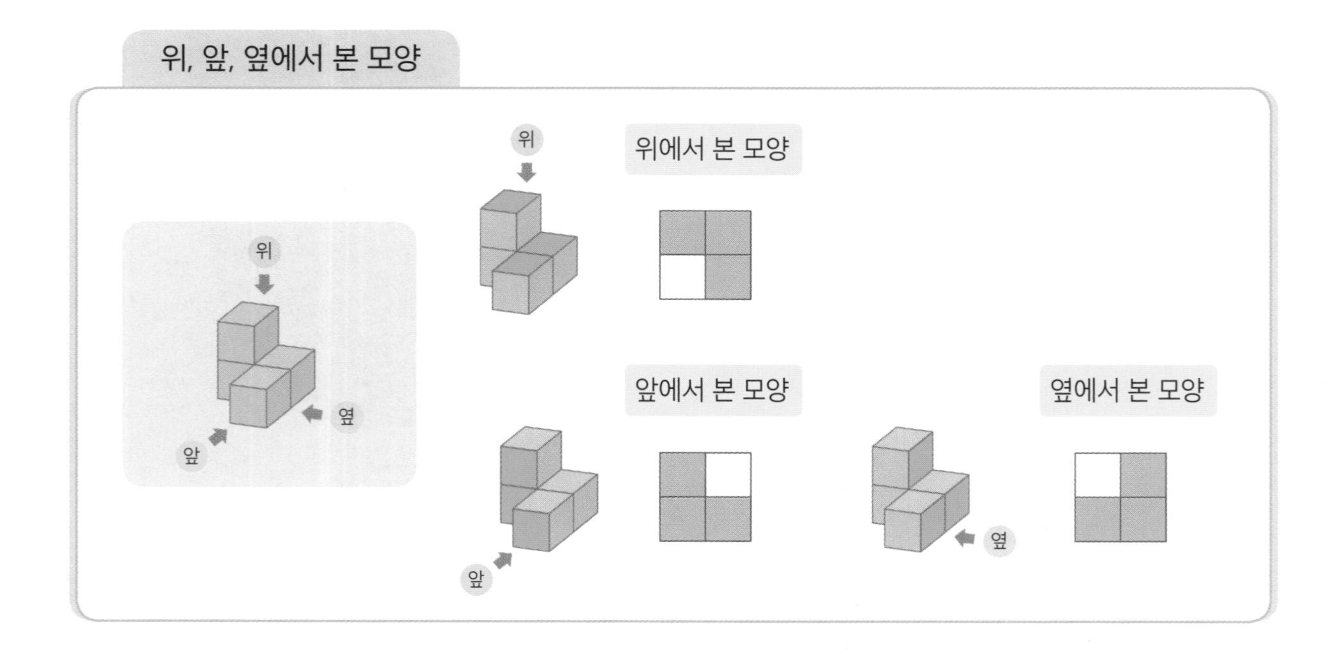

쌓기나무로 쌓은 모양의 위, 앞, 옆에서 본 모양을 찾아 이어 보세요.

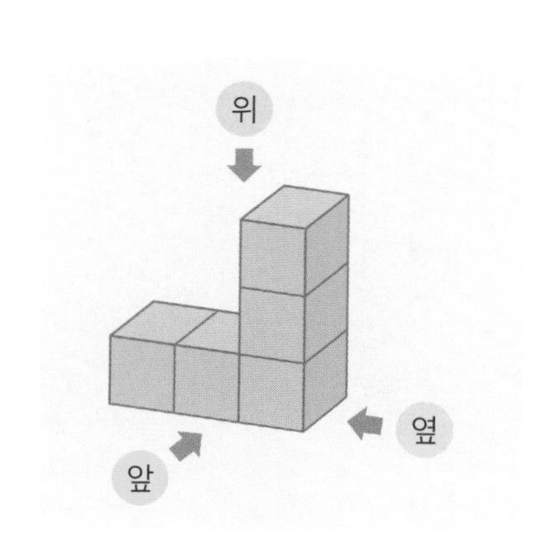

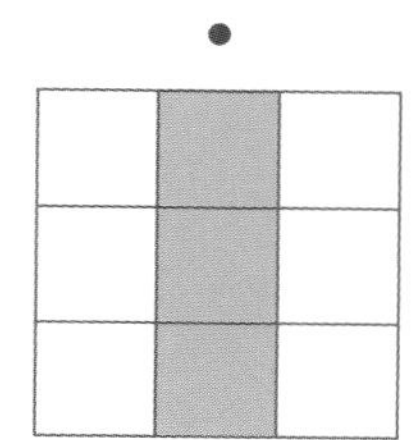
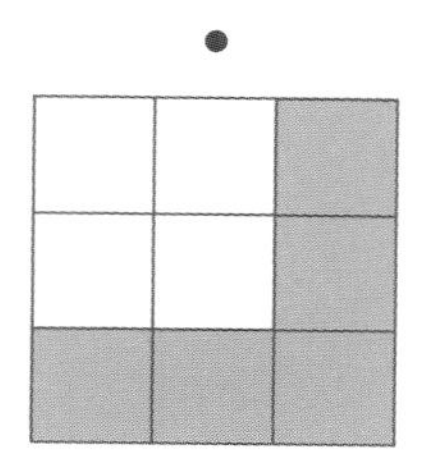
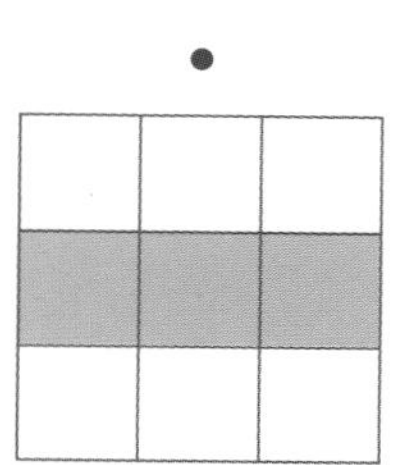

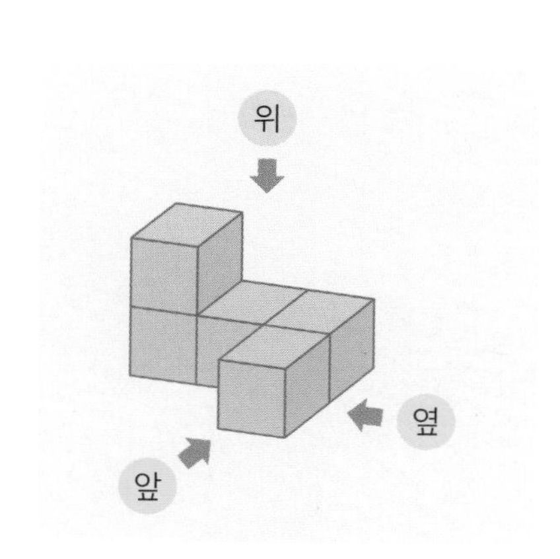

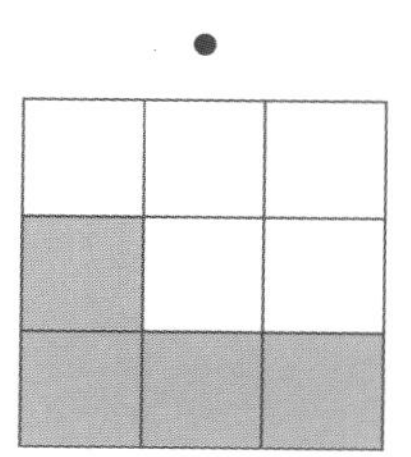
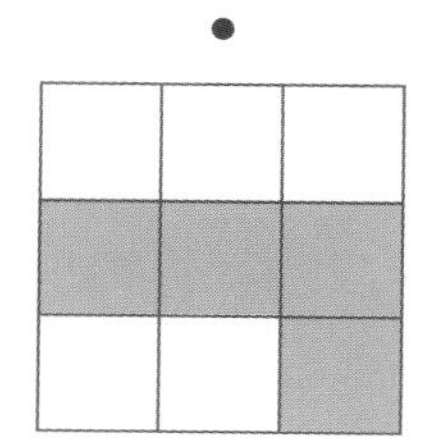
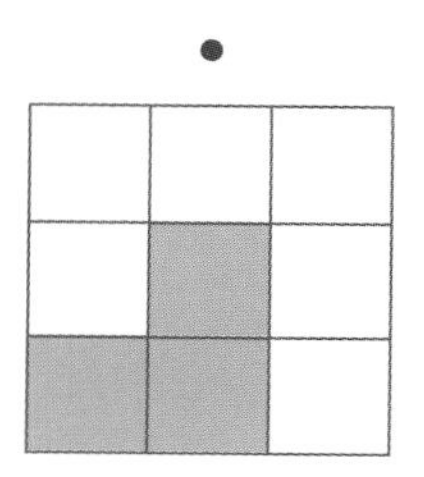

위, 앞, 옆 그리기

쌓기나무로 쌓은 모양의 위, 앞, 옆에서 본 모양을 그려 보세요.

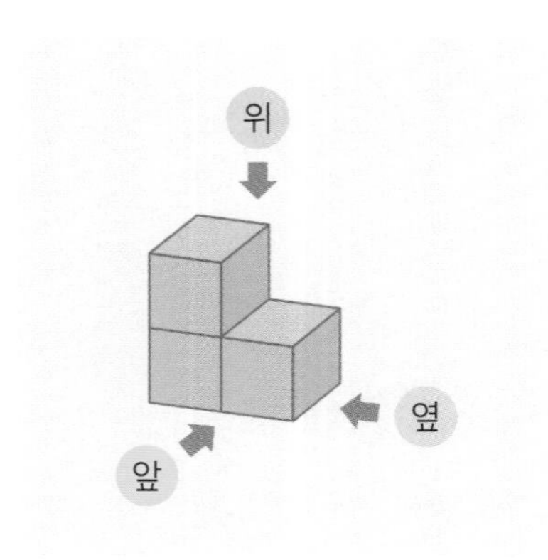

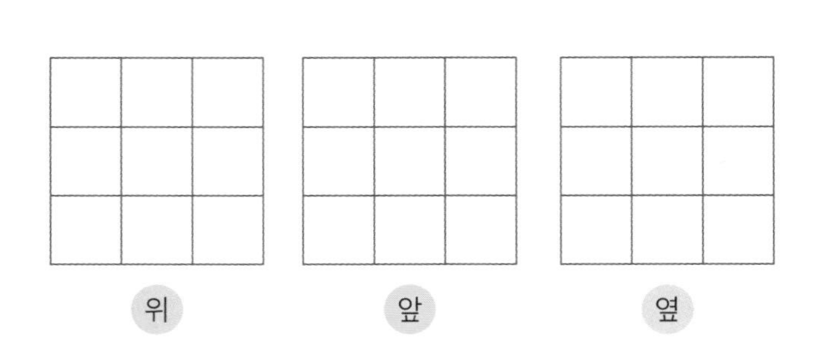

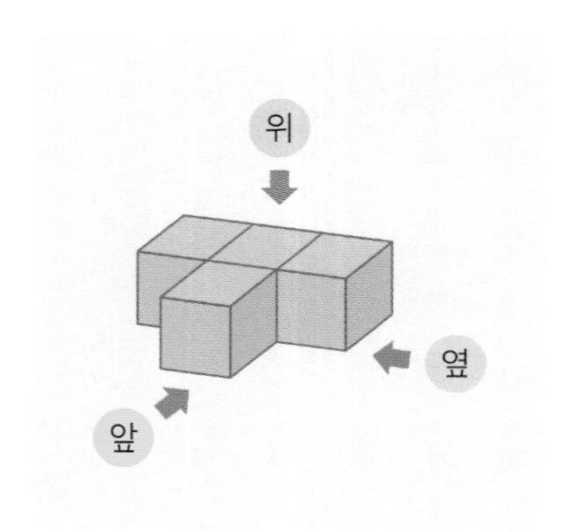

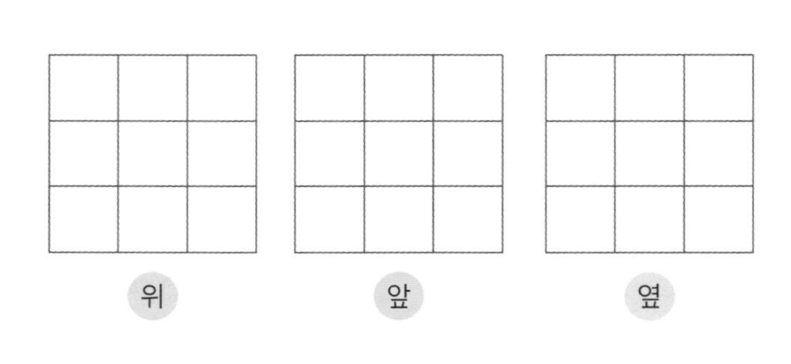

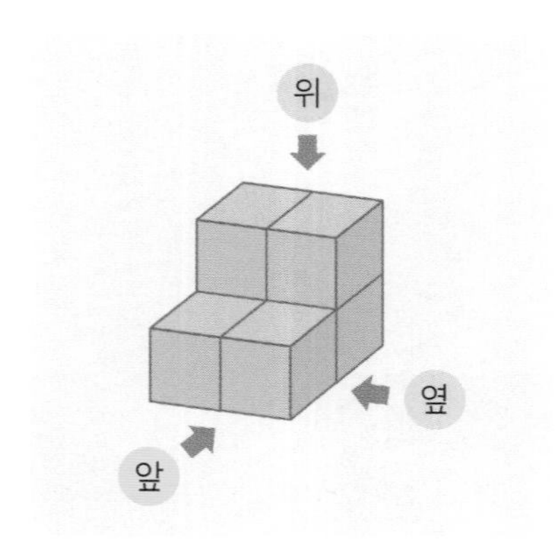

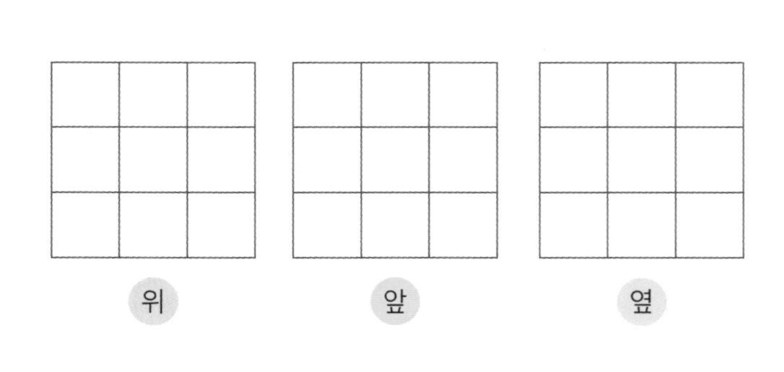

쌓기나무로 쌓은 모양의 위, 앞, 옆에서 본 모양을 그려 보세요.

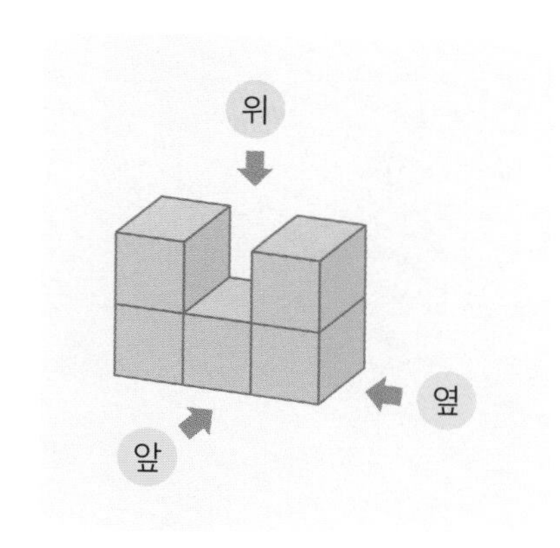

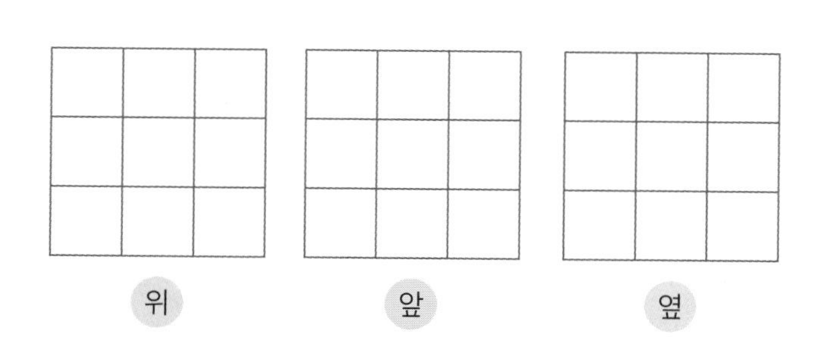

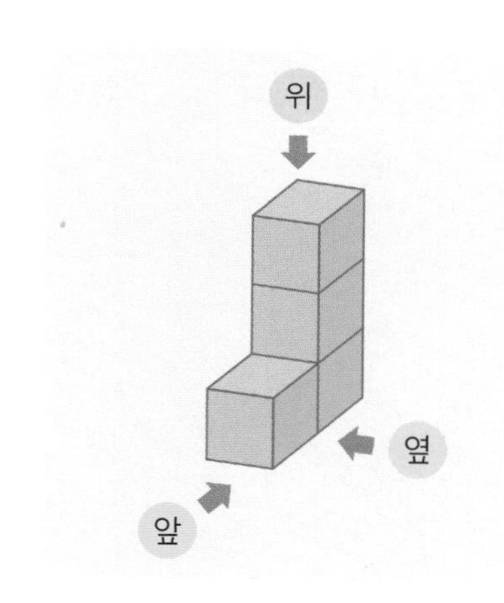

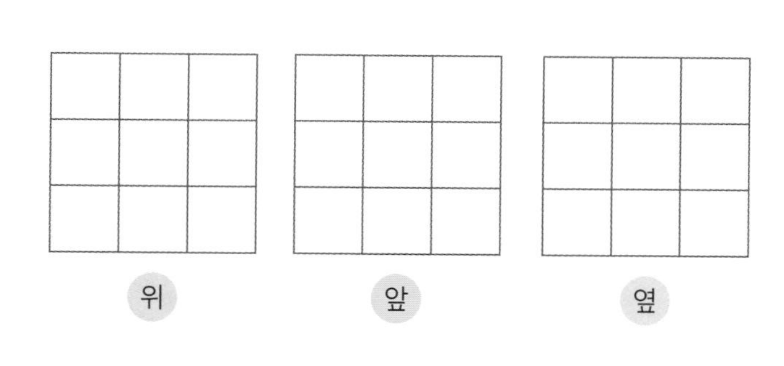

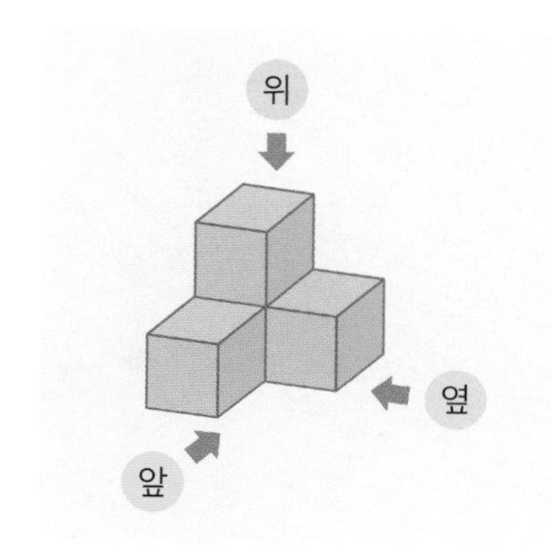

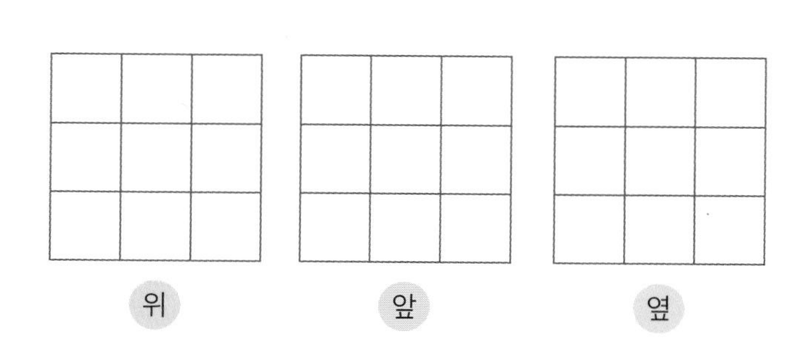

쌓은 모양 찾기

쌓기나무로 쌓은 모양을 위, 앞, 옆에서 본 모양입니다. 쌓은 모양에 ○표 하세요.

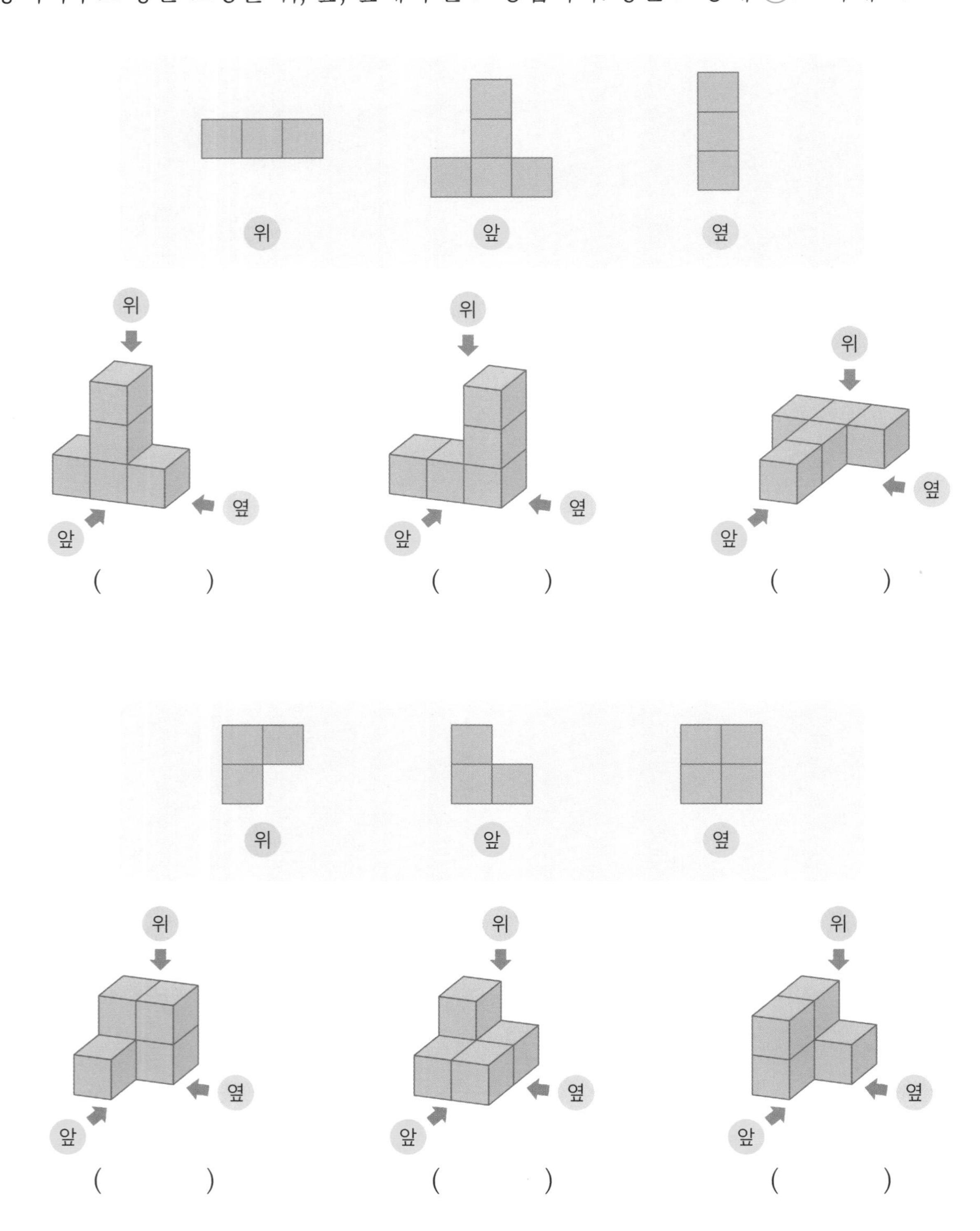

쌓기나무로 쌓은 모양을 위, 앞, 옆에서 본 모양입니다. 알맞게 이어 보세요.

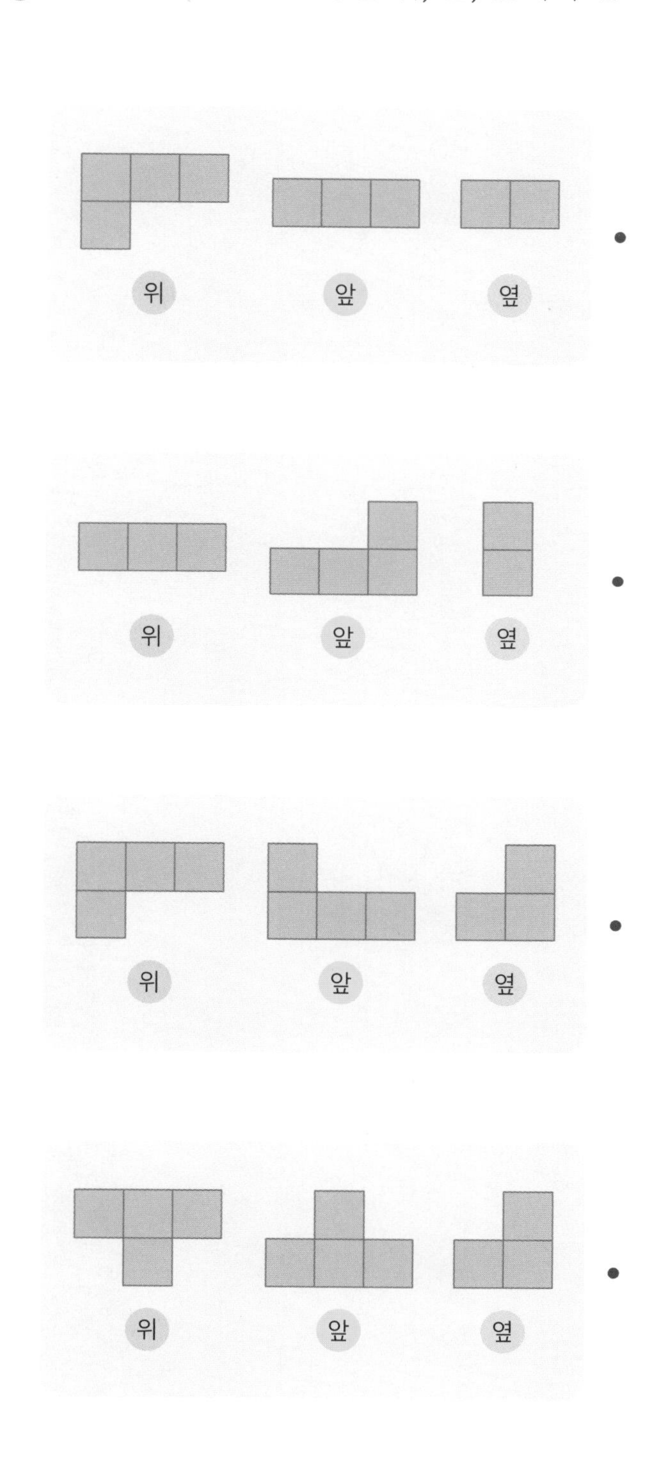

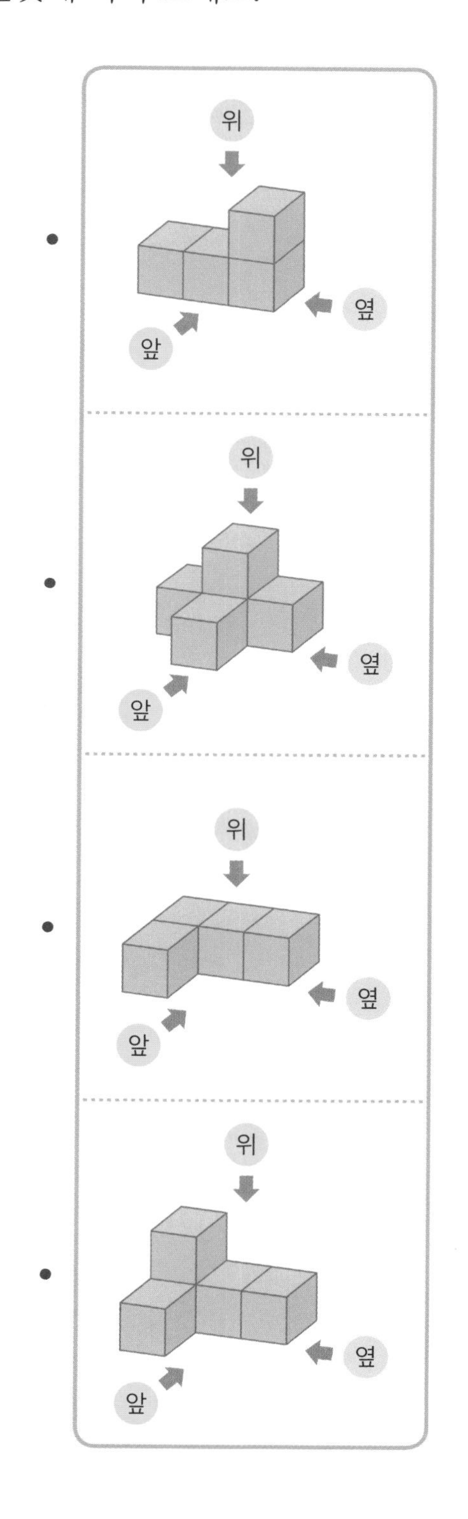

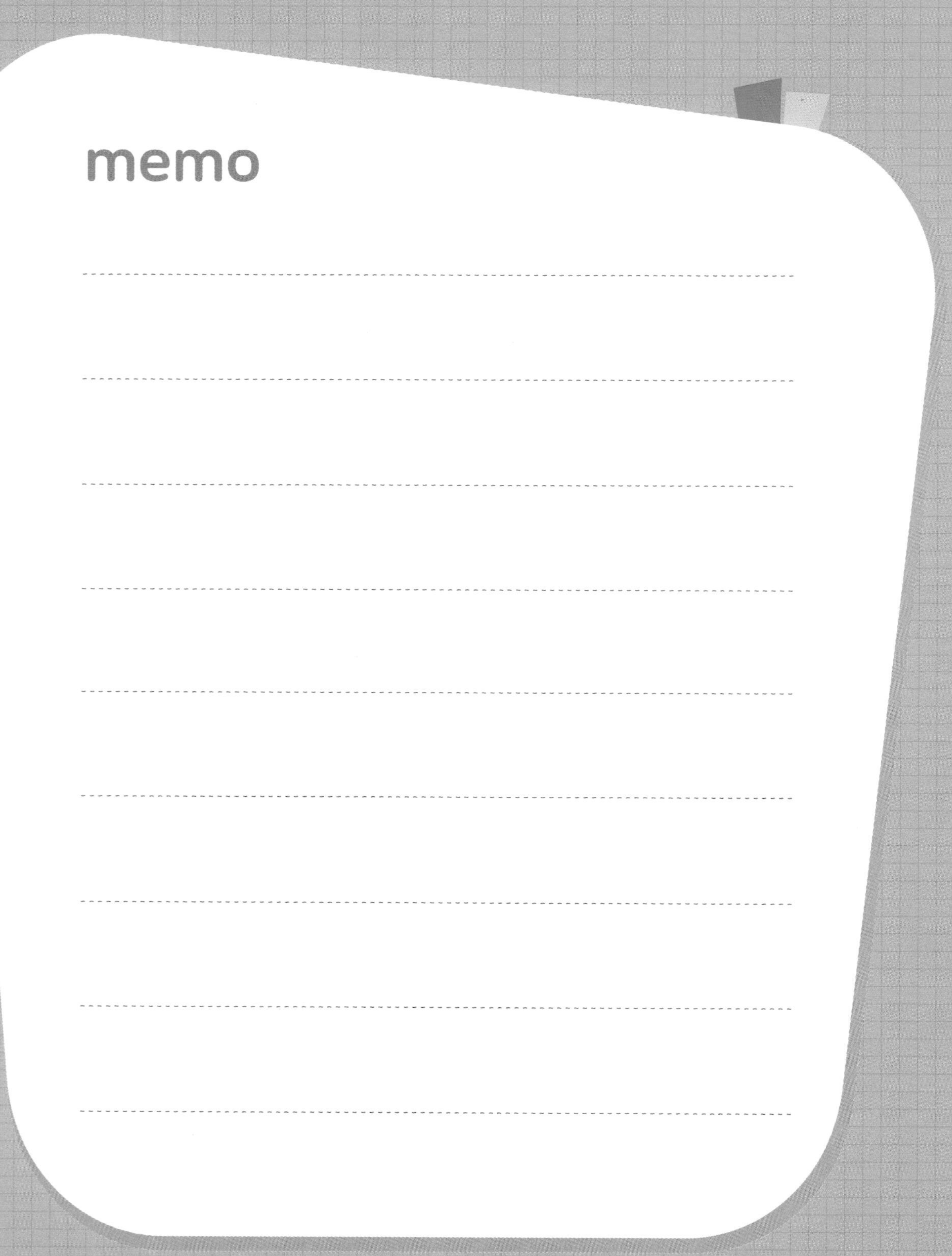
memo

형성평가

형성평가 1회

1 왼쪽과 똑같이 쌓은 모양에 ◯표 하세요.

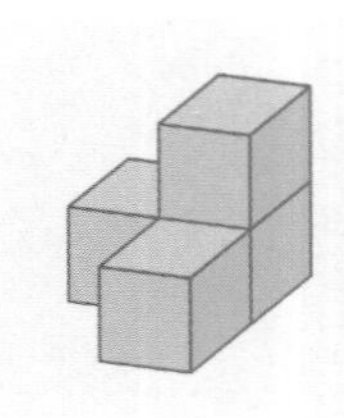

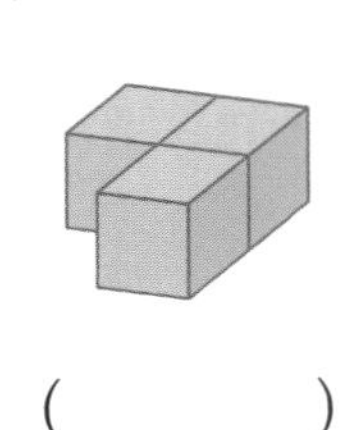
(   )

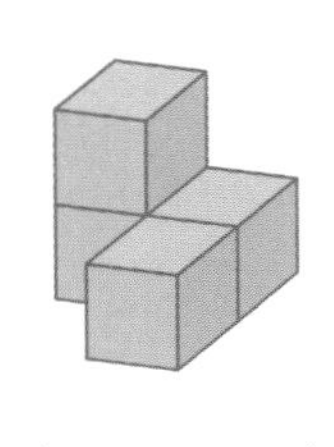
(   )

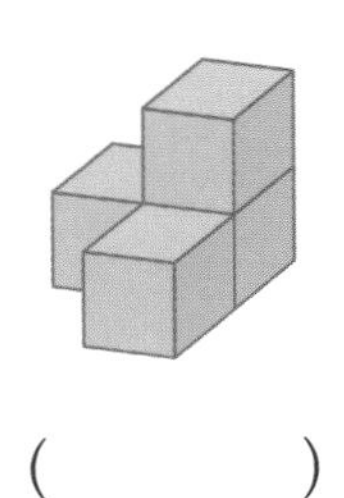
(   )

2 쌓기나무 5개로 만든 모양이 아닌 것에 ×표 하세요.

(   )

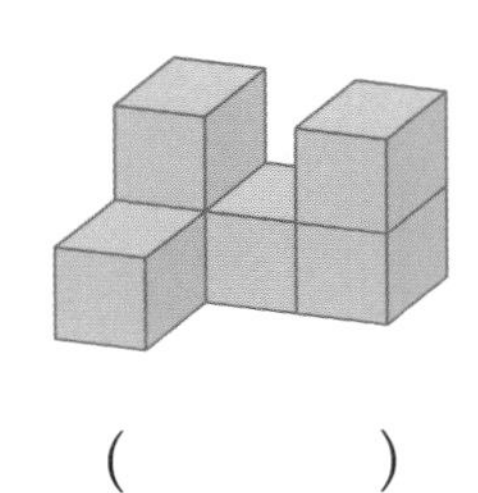
(   )

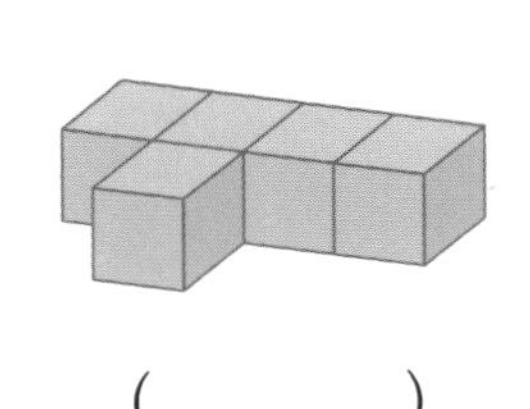
(   )

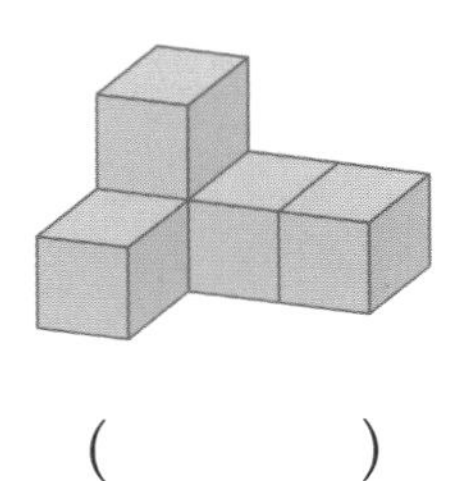
(   )

3 알맞은 말에 ◯표 하세요.

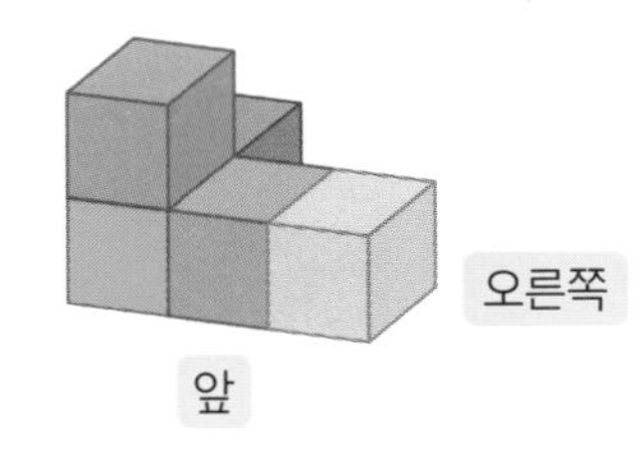

보라색 쌓기나무의 오른쪽에 (빨간색 , 노란색) 쌓기나무가 있습니다.

빨간색 쌓기나무의 (위 , 뒤)에 파란색 쌓기나무가 있습니다.

맞힌 문항 수: ______ 문항 / 6문항

4 왼쪽 모양을 오른쪽 모양과 똑같이 만들려고 합니다. 왼쪽 모양에서 빼야 하는 쌓기나무 1개를 찾아 ○표 하세요.

5 설명대로 쌓은 모양을 찾아 ○표 하세요.

> 3개가 옆으로 나란히 있고, 왼쪽 쌓기나무 앞에 1개, 가운데 쌓기나무 위에 1개가 있습니다.

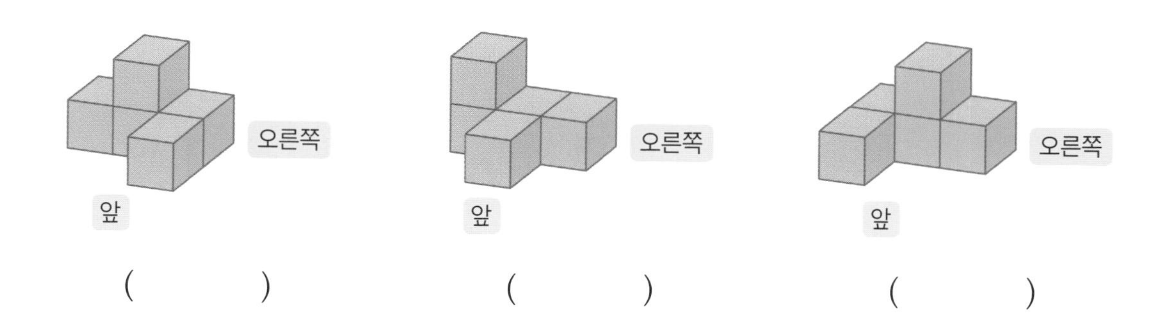

( ) ( ) ( )

6 규칙에 따라 쌓기나무를 쌓았습니다. 빈 곳에 놓이는 쌓기나무는 몇 개일까요?

?

( )개

형성평가 2회

1 똑같이 쌓은 모양 2개에 각각 ○표 하세요.

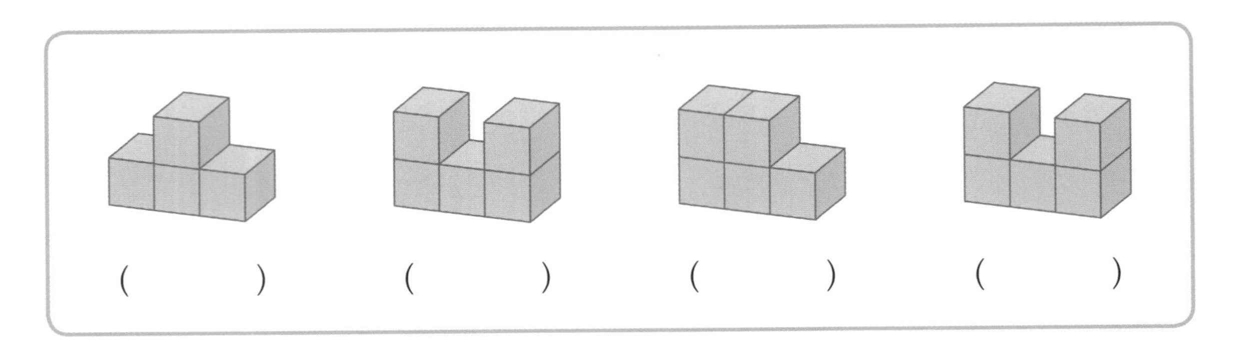

2 왼쪽 모양에서 쌓기나무 1개를 옮겨서 만들 수 있는 모양에 ○표 하세요.

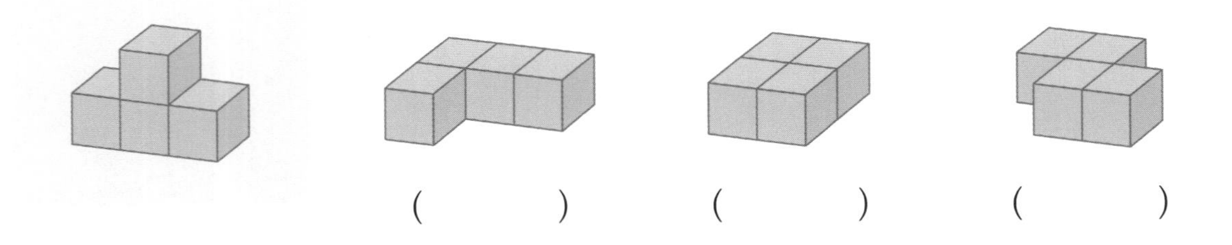

3 모양을 만드는 데 이용한 쌓기나무는 모두 몇 개일까요?

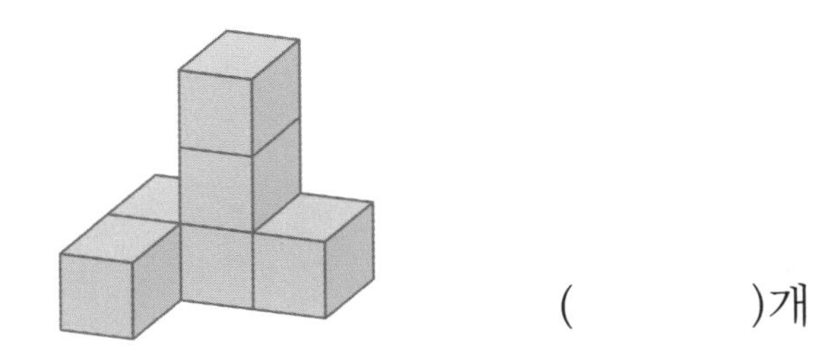

( )개

4 설명하는 쌓기나무를 찾아 ◯표 하세요.

빨간색 쌓기나무의
왼쪽에 있는 쌓기나무

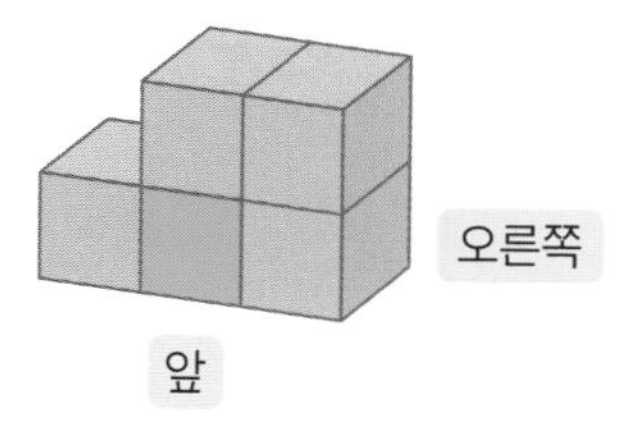

5 쌓은 모양을 설명한 것입니다. 틀린 부분을 모두 찾아 ×표 하고, 바르게 고쳐 보세요.

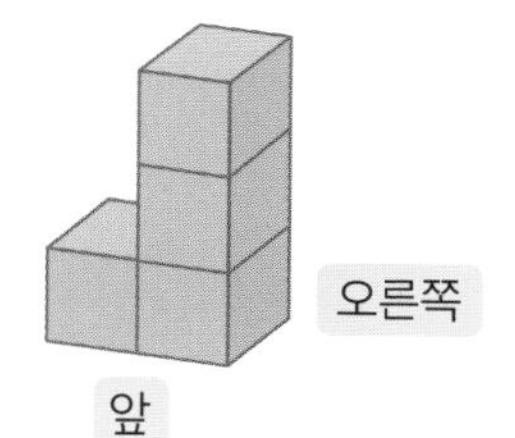

쌓기나무 2개가 옆으로 나란히 있고, 왼쪽 쌓기나무 위에 3개가 있습니다.

6 규칙에 따라 쌓기나무를 쌓았습니다. 4층으로 쌓으려면 쌓기나무는 모두 몇 개 필요할까요?

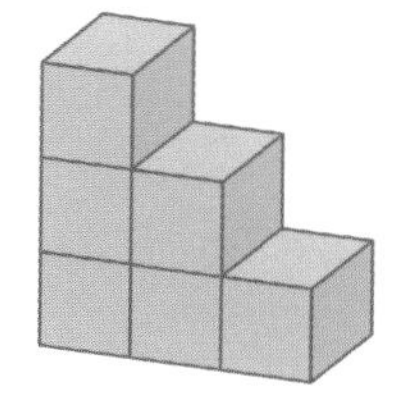

( )개

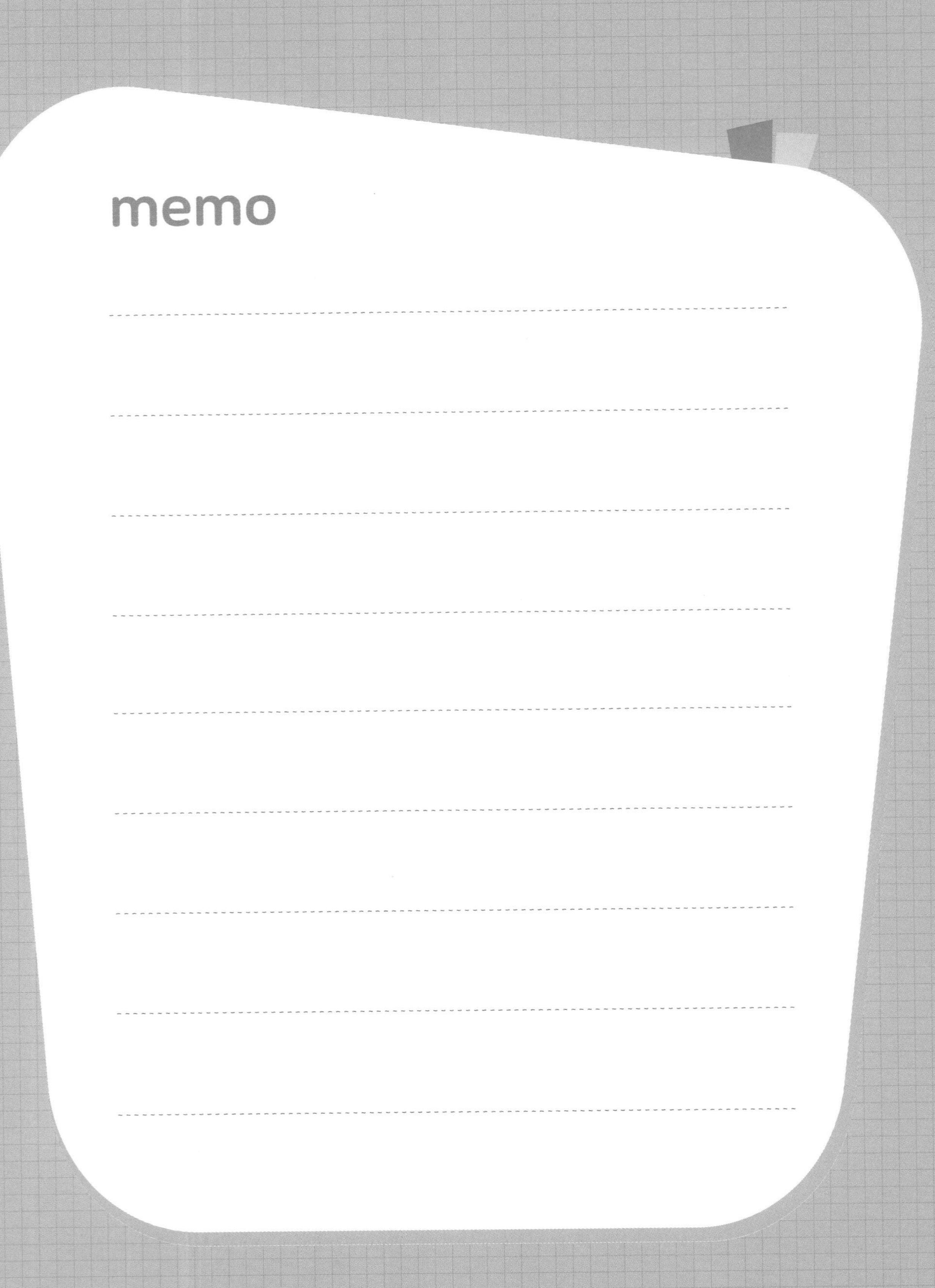
memo

하루 한 장 60일 집중 완성

교과도형

초2

B2

쌓기나무

정 답

B2

쌍기나무

1주차 모양 관찰

8쪽 • 9쪽

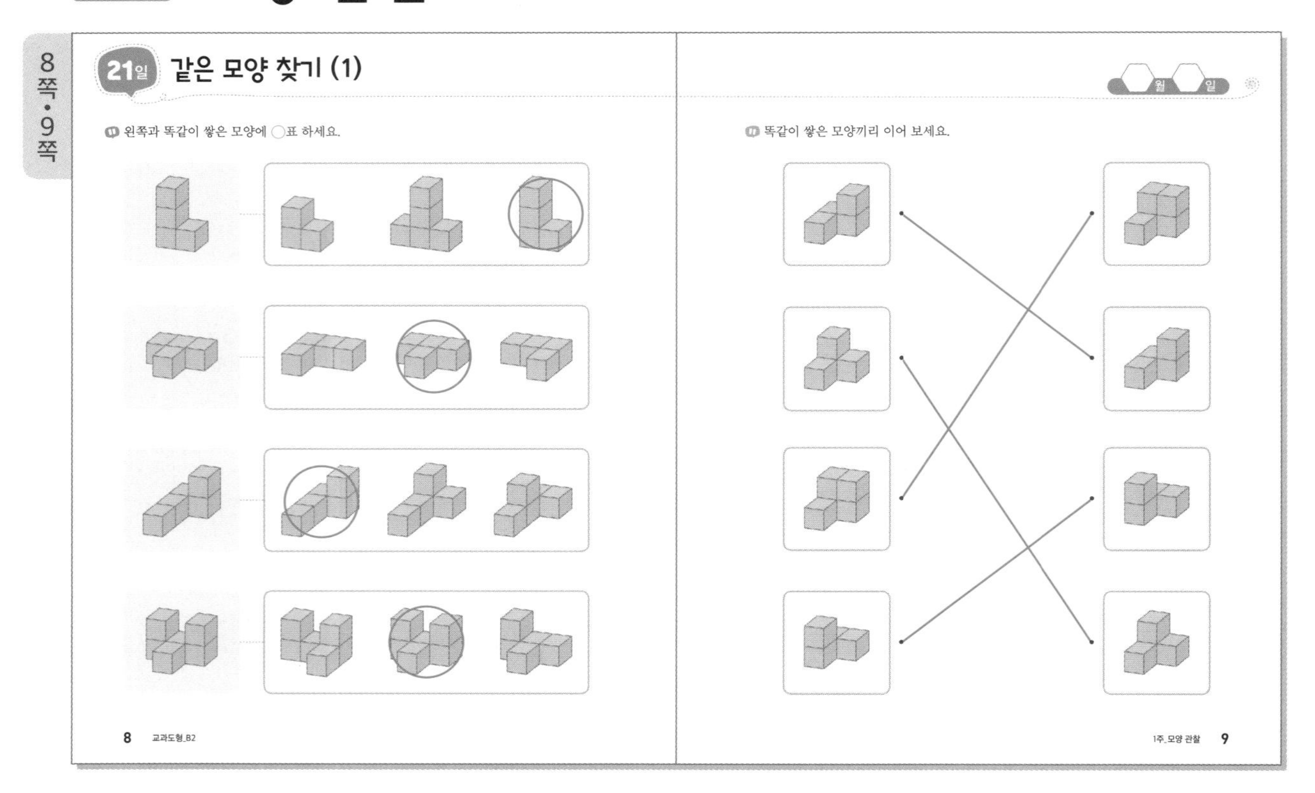

21일 같은 모양 찾기 (1)
월 일
왼쪽과 똑같이 쌓은 모양에 ○표 하세요.
똑같이 쌓은 모양끼리 이어 보세요.
8 교과도형_B2
1주_모양 관찰 9

10쪽 • 11쪽

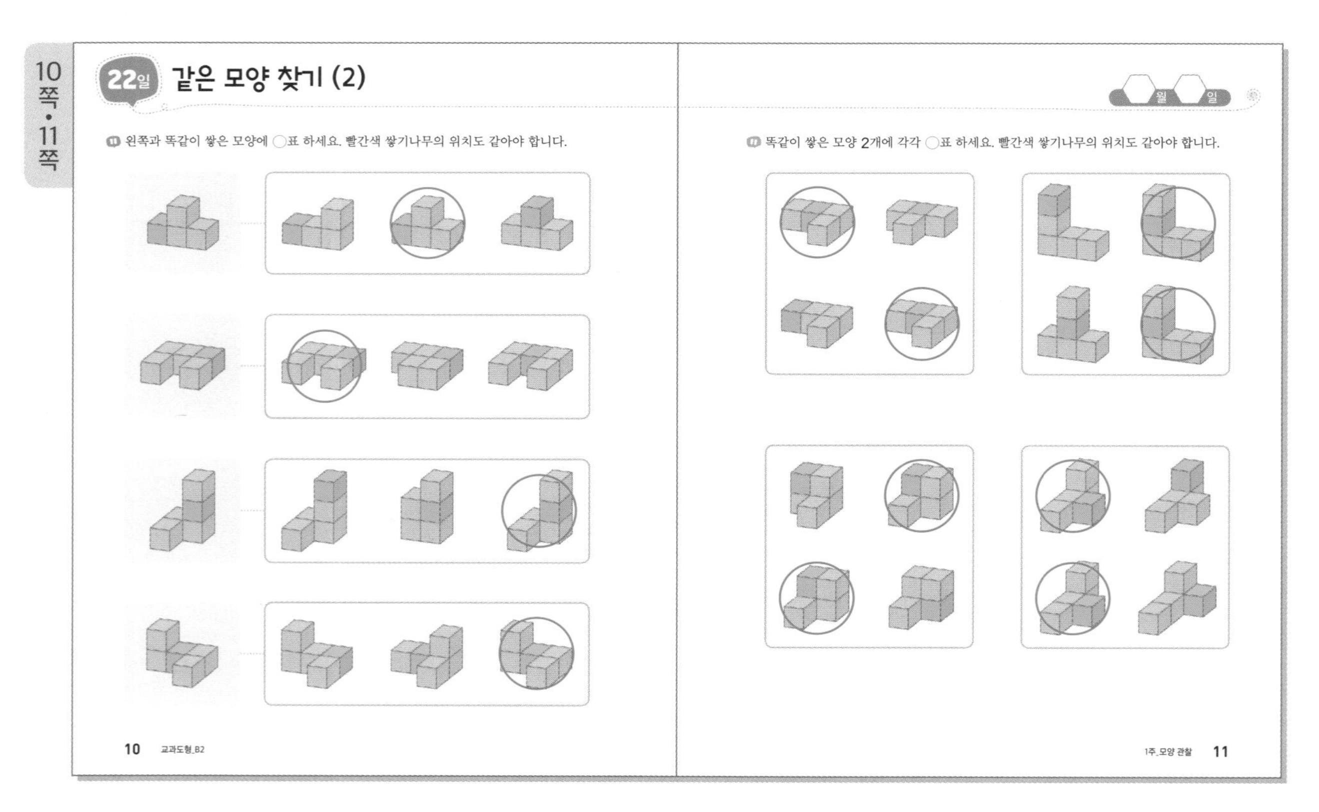

22일 같은 모양 찾기 (2)
월 일
왼쪽과 똑같이 쌓은 모양에 ○표 하세요. 빨간색 쌓기나무의 위치도 같아야 합니다.
똑같이 쌓은 모양 2개에 각각 ○표 하세요. 빨간색 쌓기나무의 위치도 같아야 합니다.
10 교과도형_B2
1주_모양 관찰 11

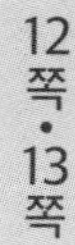

12쪽·13쪽

23일 쌓기나무 더하기

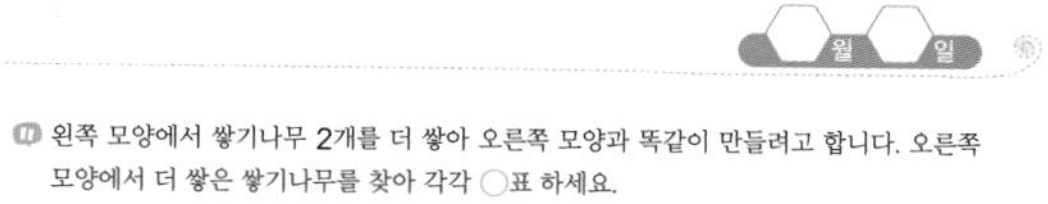

⓫ 위쪽 모양에서 쌓기나무 1개를 더 쌓아 아래쪽 모양과 똑같이 만들려고 합니다. 아래쪽 모양에서 더 쌓은 쌓기나무를 찾아 ○표 하세요.

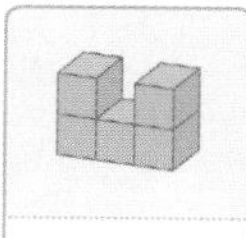
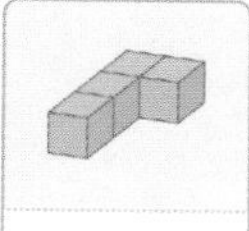
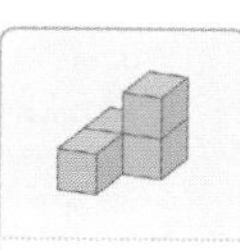
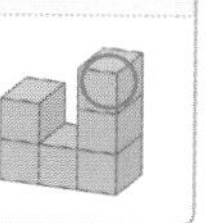
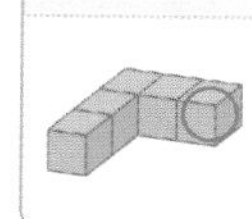
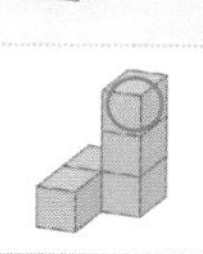

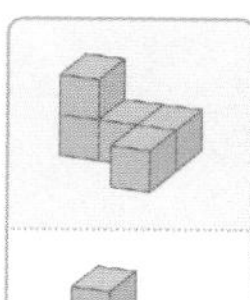
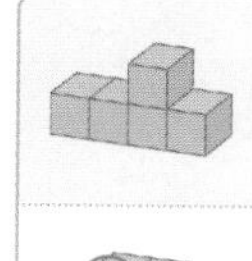
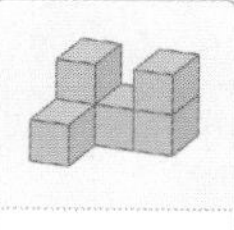
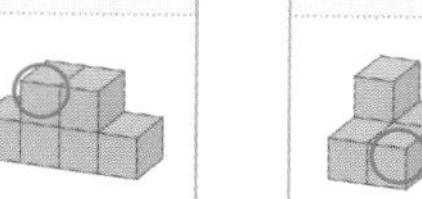

⓬ 왼쪽 모양에서 쌓기나무 2개를 더 쌓아 오른쪽 모양과 똑같이 만들려고 합니다. 오른쪽 모양에서 더 쌓은 쌓기나무를 찾아 각각 ○표 하세요.

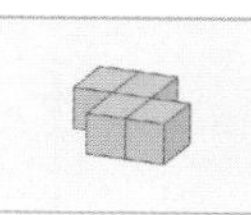
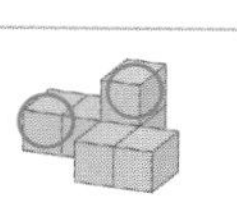
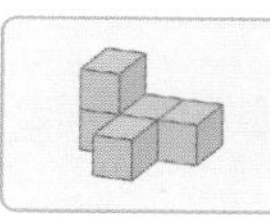
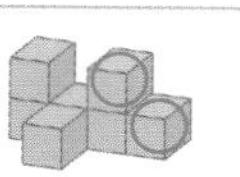
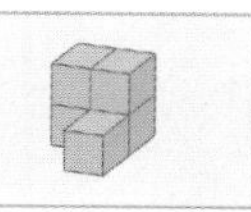
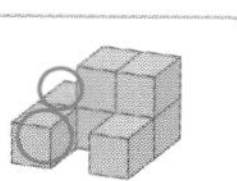
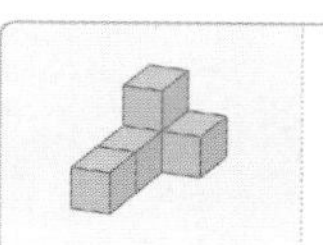
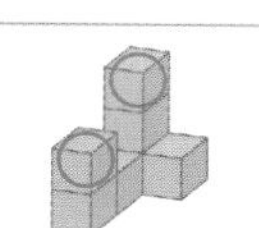

14쪽·15쪽

24일 쌓기나무 빼기

월 일

⓫ 위쪽 모양을 아래쪽 모양과 똑같이 만들려고 합니다. 위쪽 모양에서 빼야 하는 쌓기나무 1개를 찾아 ○표 하세요.

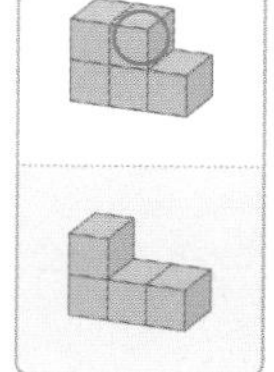
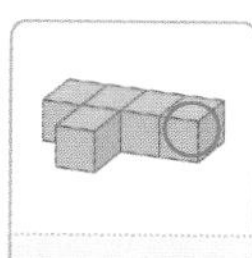
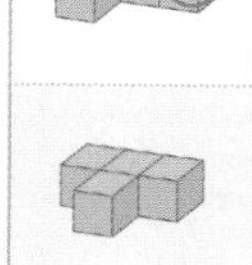
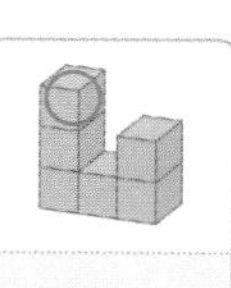
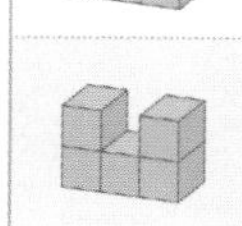

아래쪽 모양과 똑같은 부분을 위쪽 모양에서 찾습니다.

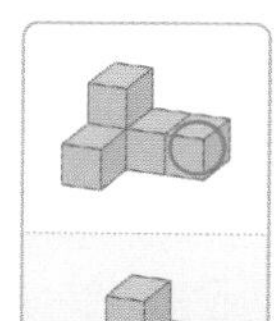
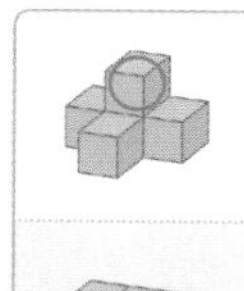
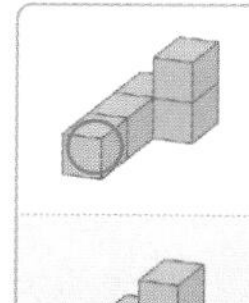
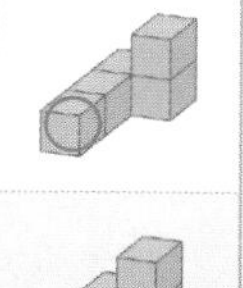

⓬ 왼쪽 모양을 오른쪽 모양과 똑같이 만들려고 합니다. 왼쪽 모양에서 빼야 하는 쌓기나무 2개를 찾아 각각 ○표 하세요.

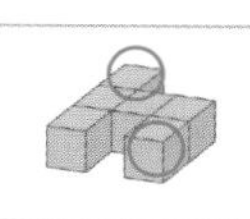
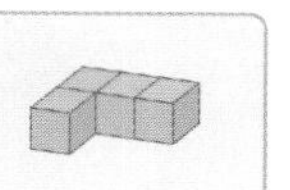
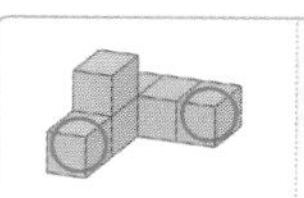
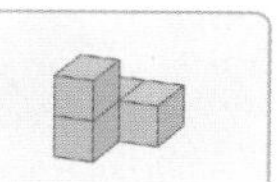
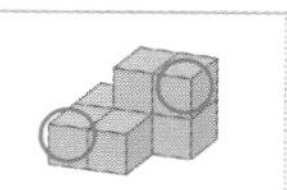
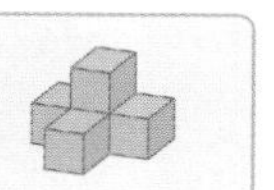
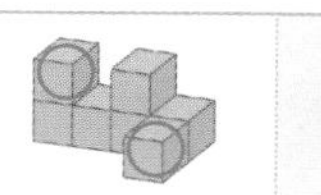
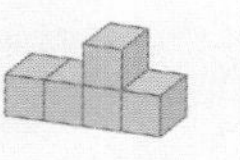

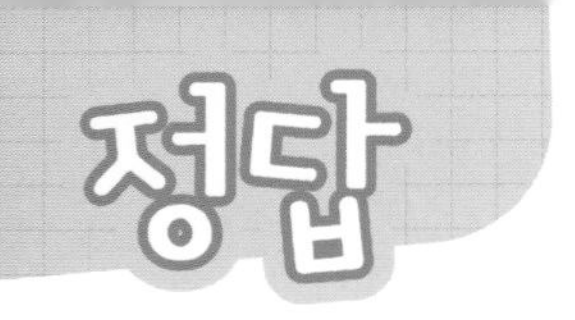
정답

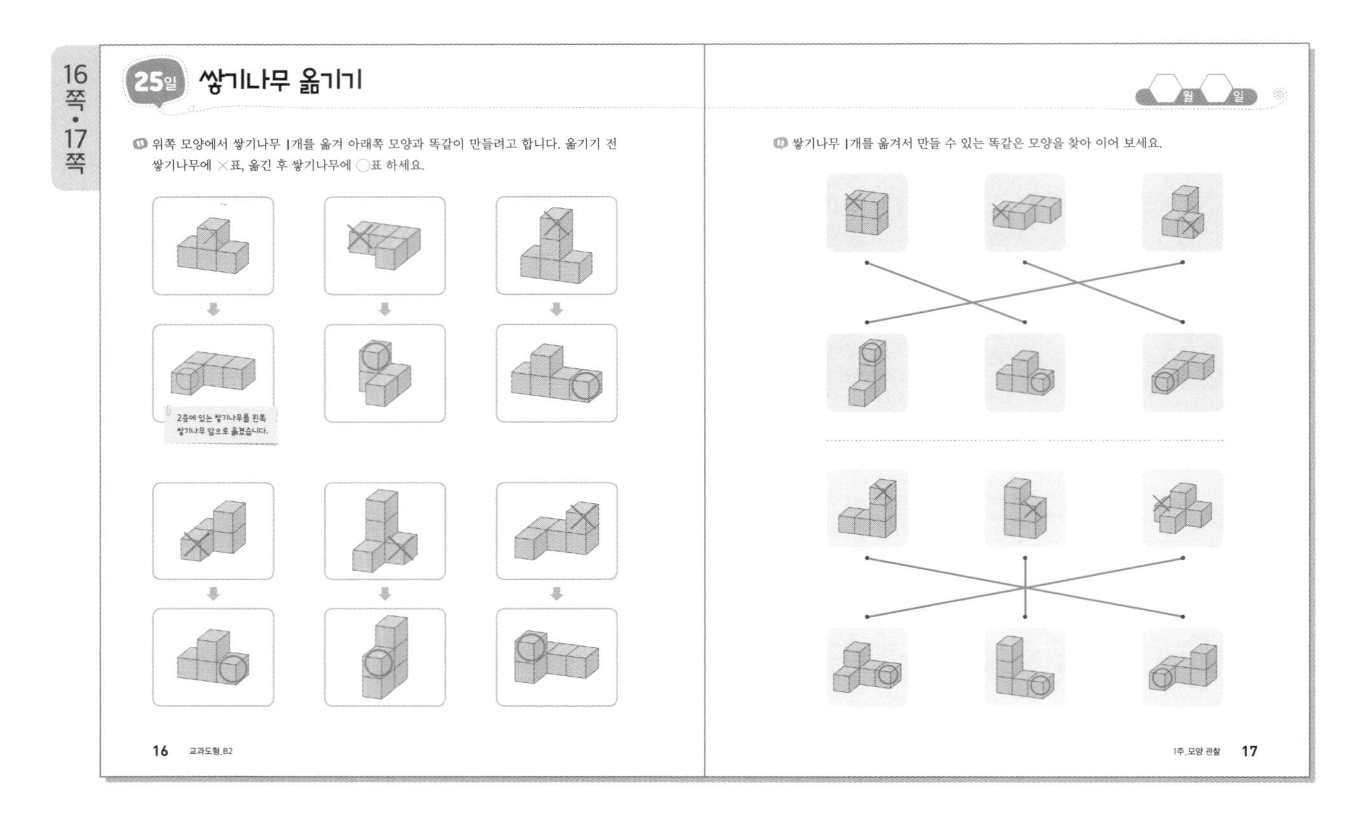
16쪽 • 17쪽
25일 쌓기나무 옮기기
위쪽 모양에서 쌓기나무 1개를 옮겨 아래쪽 모양과 똑같이 만들려고 합니다. 옮기기 전 쌓기나무에 ×표, 옮긴 후 쌓기나무에 ○표 하세요.
2층에 있는 쌓기나무를 왼쪽 쌓기나무 앞으로 옮겼습니다.
월 일
쌓기나무 1개를 옮겨서 만들 수 있는 똑같은 모양을 찾아 이어 보세요.
16 교과도형_B2
1주_모양 관찰 17

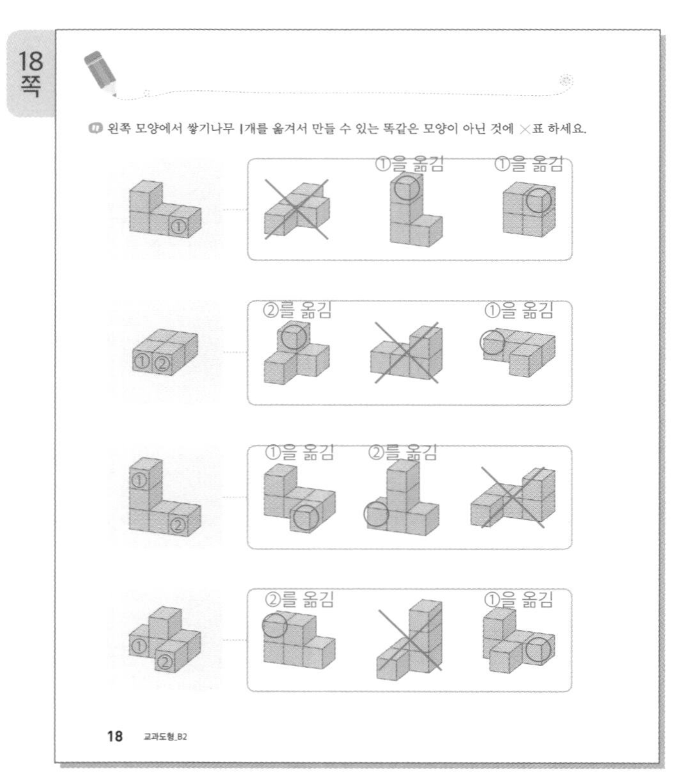
18쪽
왼쪽 모양에서 쌓기나무 1개를 옮겨서 만들 수 있는 똑같은 모양이 아닌 것에 ×표 하세요.
①을 옮김
①을 옮김
②를 옮김
①을 옮김
①을 옮김
②를 옮김
②를 옮김
①을 옮김
18 교과도형_B2

2주차 쌓기나무의 개수

20쪽 · 21쪽

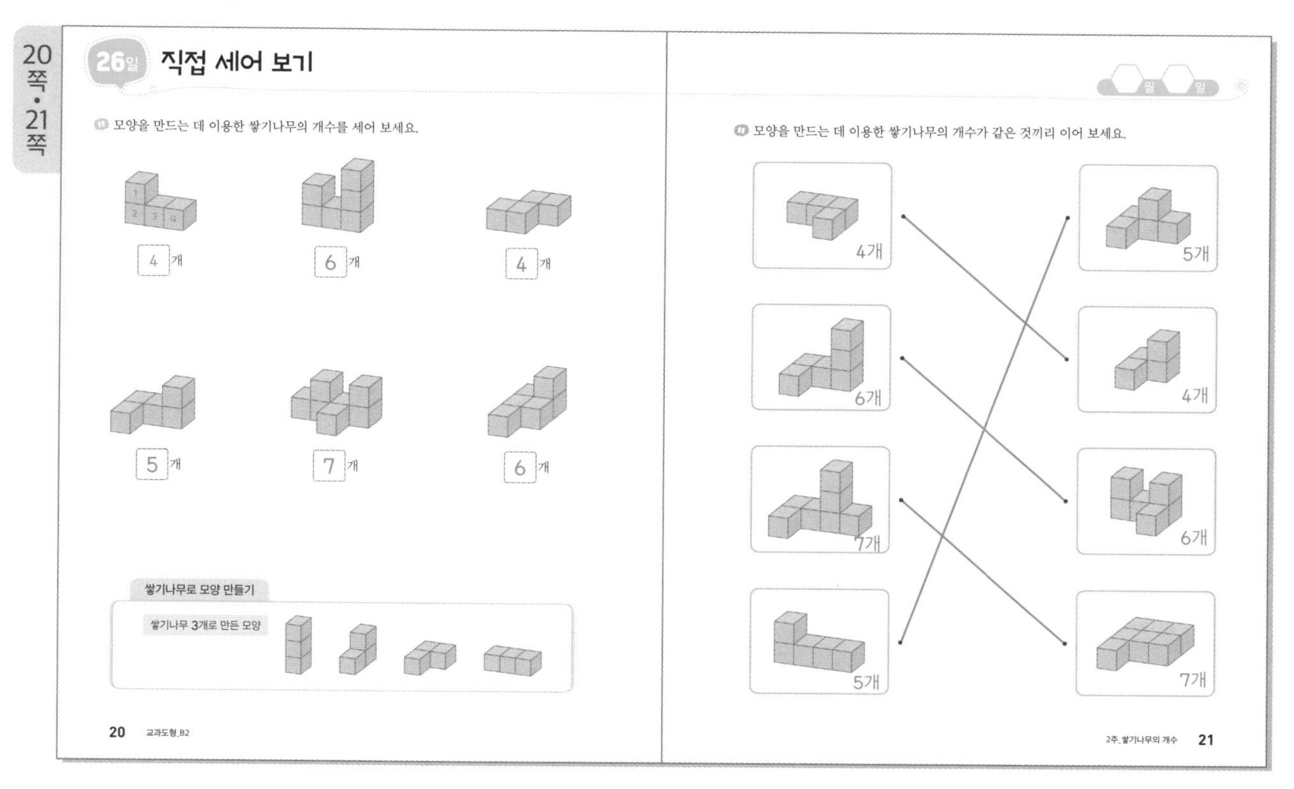

26일 직접 세어 보기
모양을 만드는 데 이용한 쌓기나무의 개수를 세어 보세요.
4 개
6 개
4 개
5 개
7 개
6 개
쌓기나무로 모양 만들기
쌓기나무 3개로 만든 모양
20 교과도형_B2
월 일
모양을 만드는 데 이용한 쌓기나무의 개수가 같은 것끼리 이어 보세요.
4개
6개
7개
5개
5개
4개
6개
7개
2주_쌓기나무의 개수 21

22쪽 · 23쪽

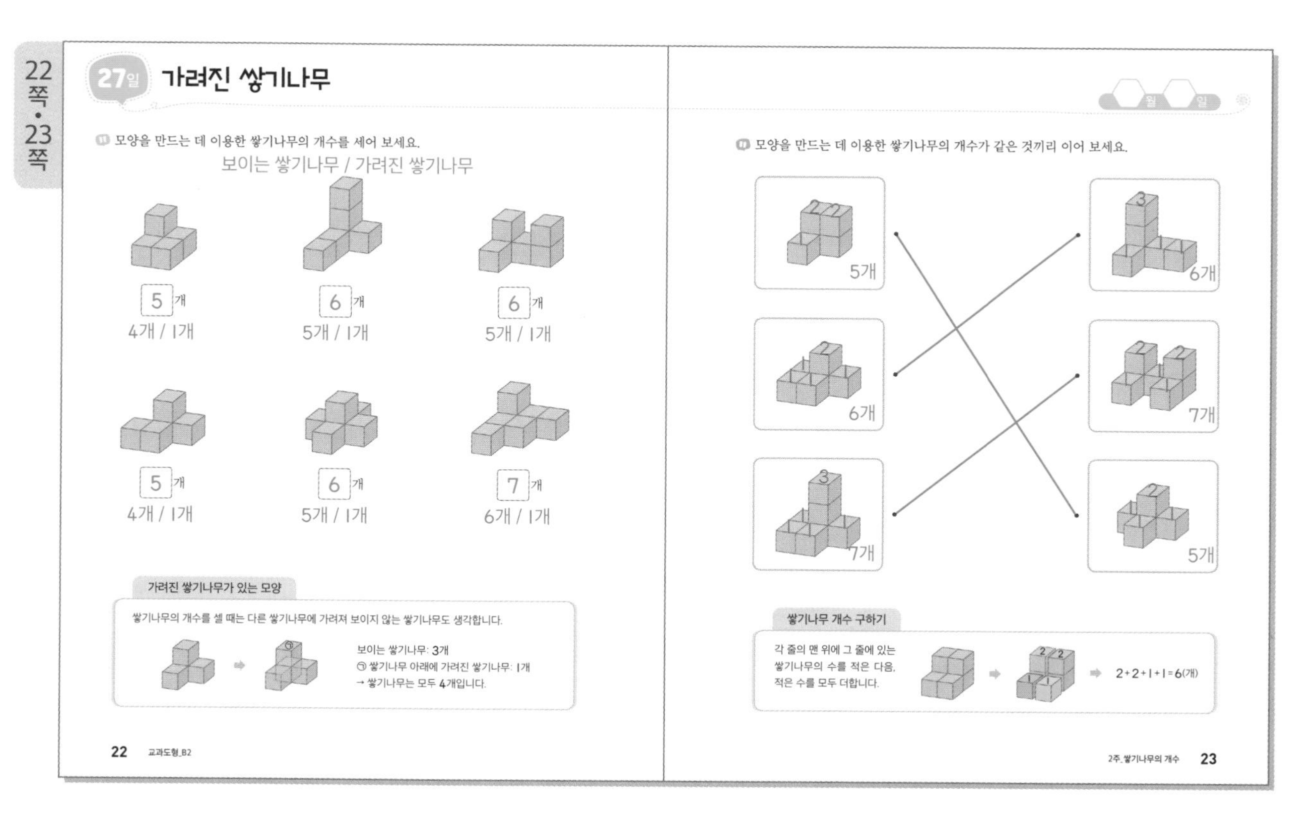

27일 가려진 쌓기나무
모양을 만드는 데 이용한 쌓기나무의 개수를 세어 보세요.
보이는 쌓기나무 / 가려진 쌓기나무
5 개
4개 / 1개
6 개
5개 / 1개
6 개
5개 / 1개
5 개
4개 / 1개
6 개
5개 / 1개
7 개
6개 / 1개
가려진 쌓기나무가 있는 모양
쌓기나무의 개수를 셀 때는 다른 쌓기나무에 가려져 보이지 않는 쌓기나무도 생각합니다.
보이는 쌓기나무: 3개
㉠ 쌓기나무 아래에 가려진 쌓기나무: 1개
→ 쌓기나무는 모두 4개입니다.
22 교과도형_B2
월 일
모양을 만드는 데 이용한 쌓기나무의 개수가 같은 것끼리 이어 보세요.
5개
6개
7개
6개
7개
5개
쌓기나무 개수 구하기
각 줄의 맨 위에 그 줄에 있는 쌓기나무의 수를 적은 다음, 적은 수를 모두 더합니다.
2+2+1+1=6(개)
2주_쌓기나무의 개수 23

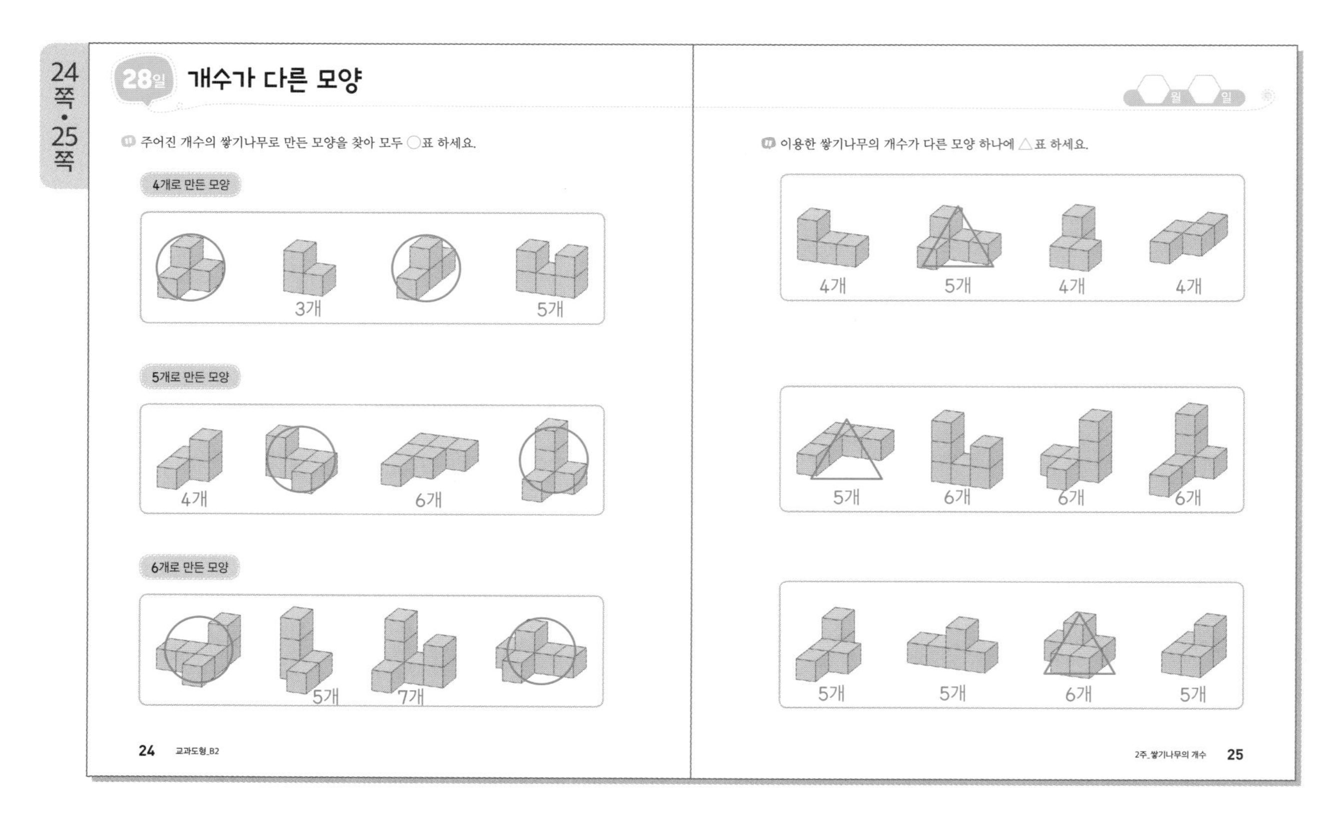
24쪽·25쪽

28일 개수가 다른 모양

주어진 개수의 쌓기나무로 만든 모양을 찾아 모두 ○표 하세요.

4개로 만든 모양

3개 5개

5개로 만든 모양

4개 6개

6개로 만든 모양

5개 7개

이용한 쌓기나무의 개수가 다른 모양 하나에 △표 하세요.

4개 5개 4개 4개

5개 6개 6개 6개

5개 5개 6개 5개

24 교과도형_B2

2주_쌓기나무의 개수 25

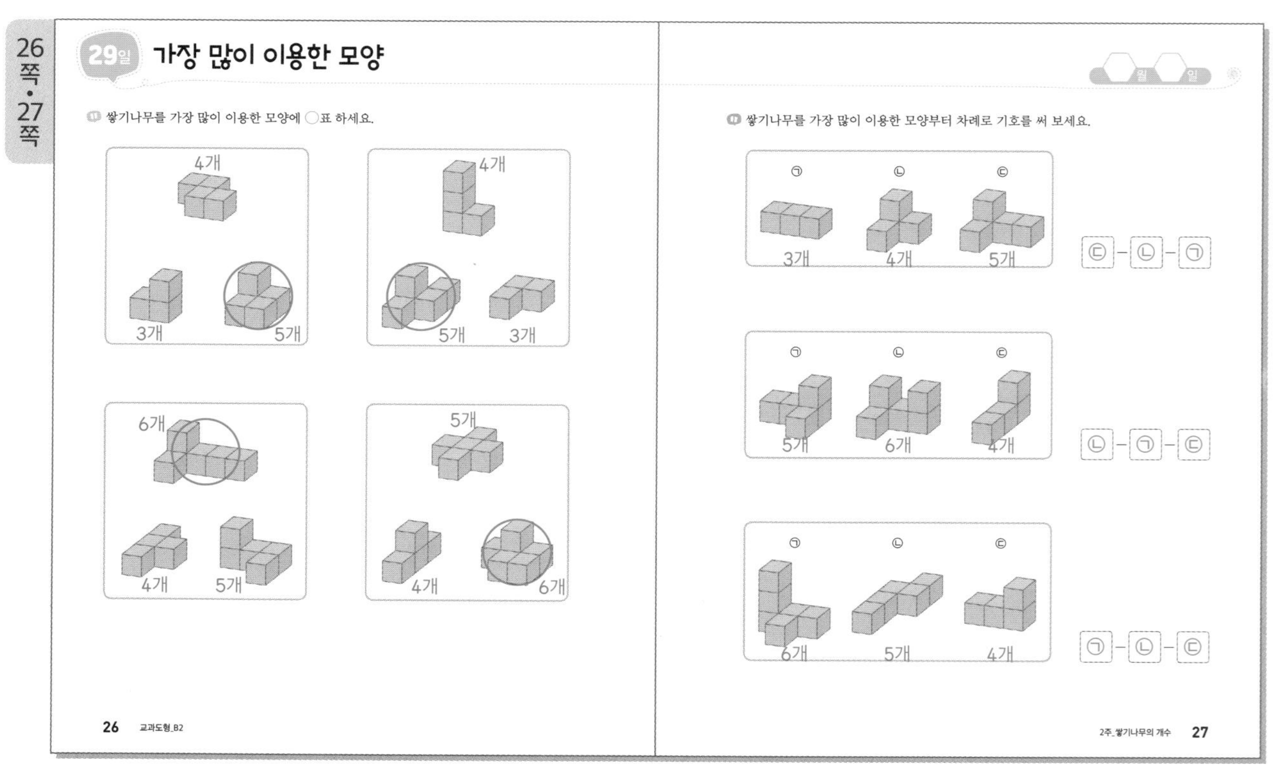
26쪽·27쪽

29일 가장 많이 이용한 모양

쌓기나무를 가장 많이 이용한 모양에 ○표 하세요.

4개 3개 5개

4개 5개 3개

6개 4개 5개

5개 4개 6개

쌓기나무를 가장 많이 이용한 모양부터 차례로 기호를 써 보세요.

㉠ ㉡ ㉢ 3개 4개 5개 ㉢-㉡-㉠

㉠ ㉡ ㉢ 5개 6개 4개 ㉡-㉠-㉢

㉠ ㉡ ㉢ 6개 5개 4개 ㉠-㉡-㉢

26 교과도형_B2

2주_쌓기나무의 개수 27

28쪽·29쪽

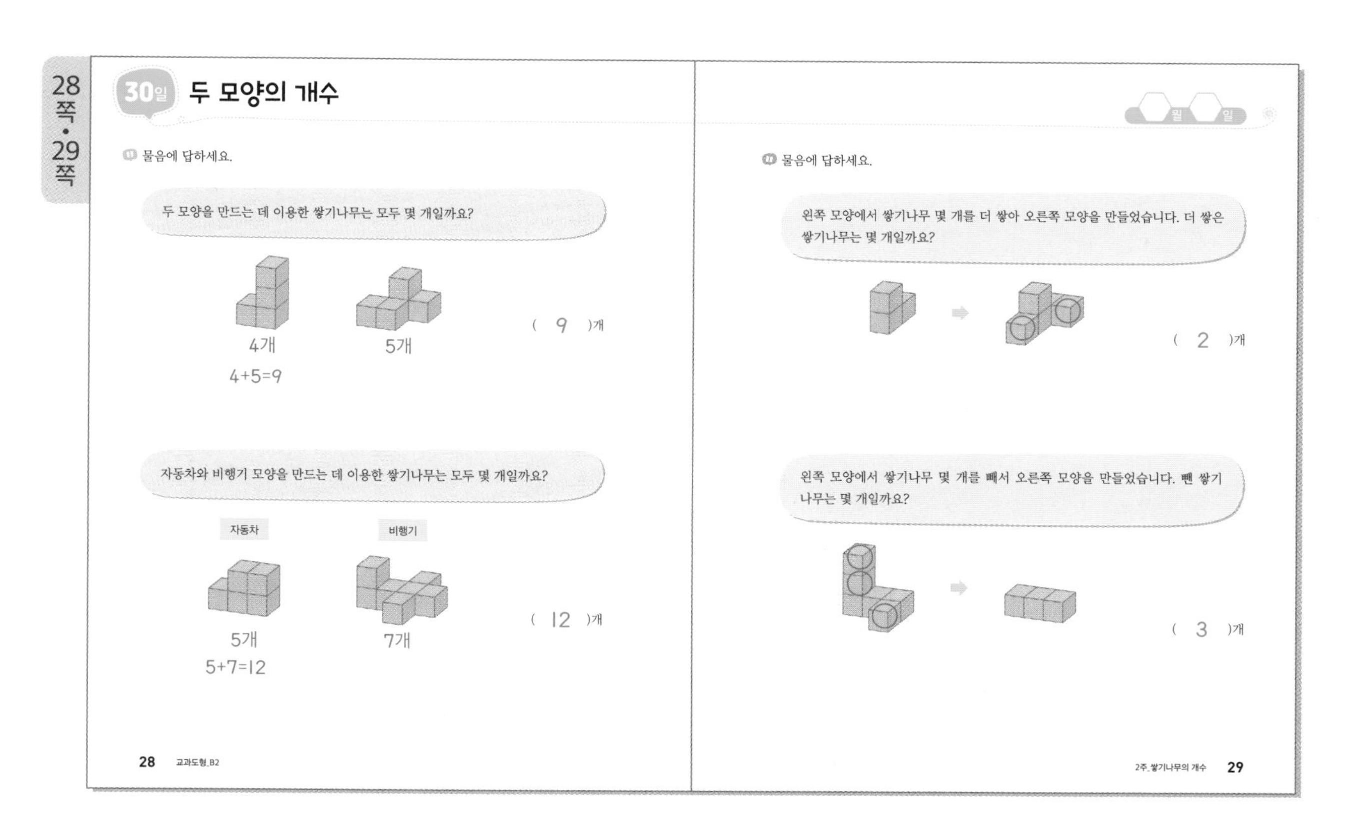

30일 두 모양의 개수

물음에 답하세요.

두 모양을 만드는 데 이용한 쌓기나무는 모두 몇 개일까요?

4개 5개

4+5=9

(9)개

자동차와 비행기 모양을 만드는 데 이용한 쌓기나무는 모두 몇 개일까요?

자동차 비행기

5개 7개

5+7=12

(12)개

28 교과도형_B2

필 일

물음에 답하세요.

왼쪽 모양에서 쌓기나무 몇 개를 더 쌓아 오른쪽 모양을 만들었습니다. 더 쌓은 쌓기나무는 몇 개일까요?

(2)개

왼쪽 모양에서 쌓기나무 몇 개를 빼서 오른쪽 모양을 만들었습니다. 뺀 쌓기나무는 몇 개일까요?

(3)개

2주_쌓기나무의 개수 29

30쪽

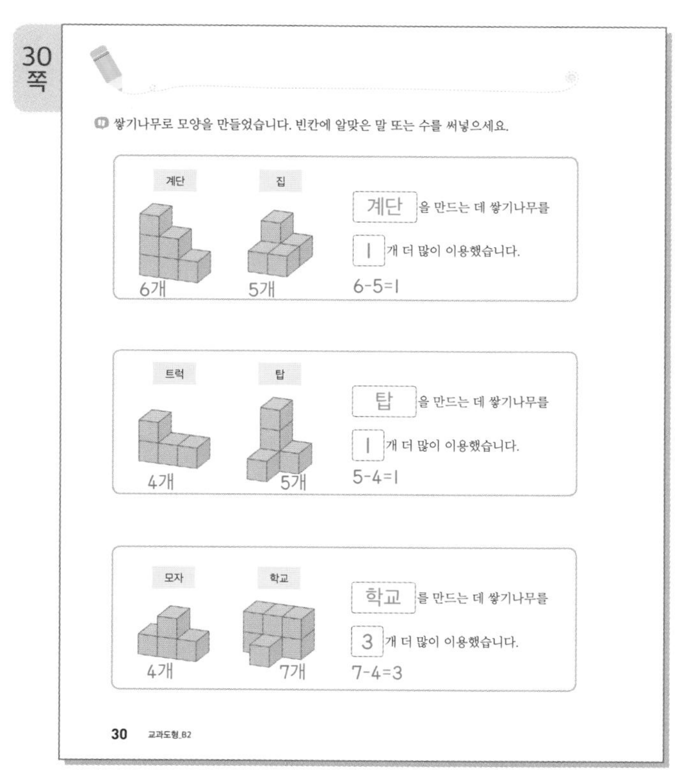

쌓기나무로 모양을 만들었습니다. 빈칸에 알맞은 말 또는 수를 써넣으세요.

계단 집

6개 5개

[계단]을 만드는 데 쌓기나무를 [1]개 더 많이 이용했습니다.

6-5=1

트럭 탑

4개 5개

[탑]을 만드는 데 쌓기나무를 [1]개 더 많이 이용했습니다.

5-4=1

모자 학교

4개 7개

[학교]를 만드는 데 쌓기나무를 [3]개 더 많이 이용했습니다.

7-4=3

30 교과도형_B2

3주차 모양 설명하기

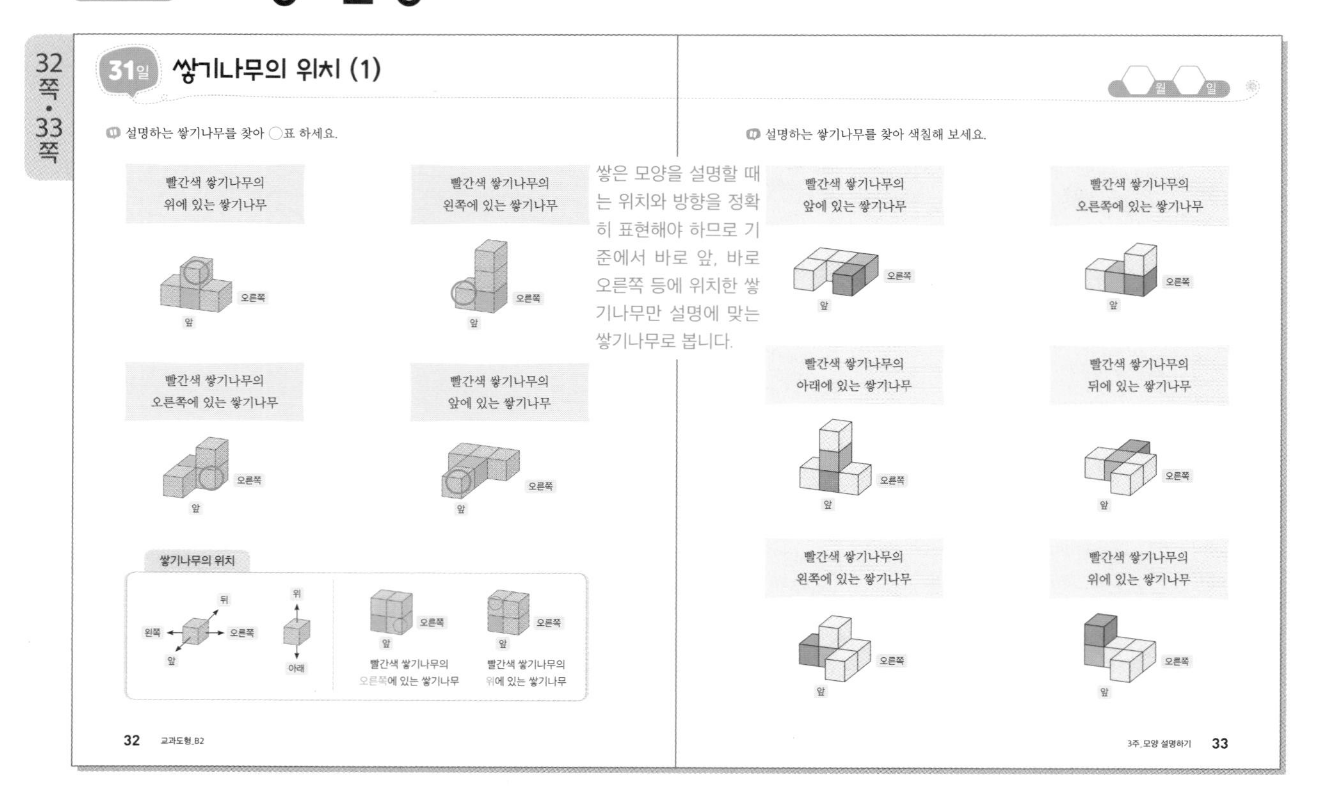

쌓은 모양을 설명할 때는 위치와 방향을 정확히 표현해야 하므로 기준에서 바로 앞, 바로 오른쪽 등에 위치한 쌓기나무만 설명에 맞는 쌓기나무로 봅니다.

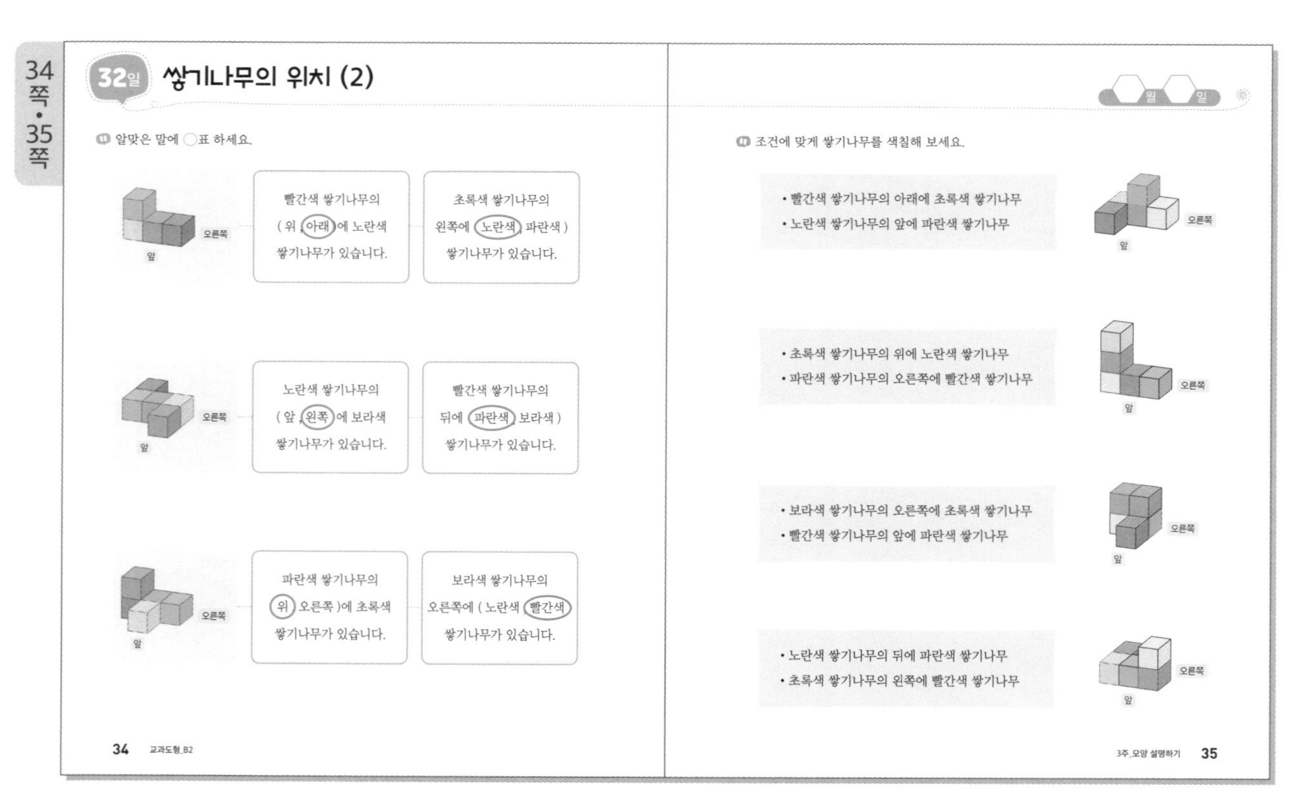

36쪽·37쪽

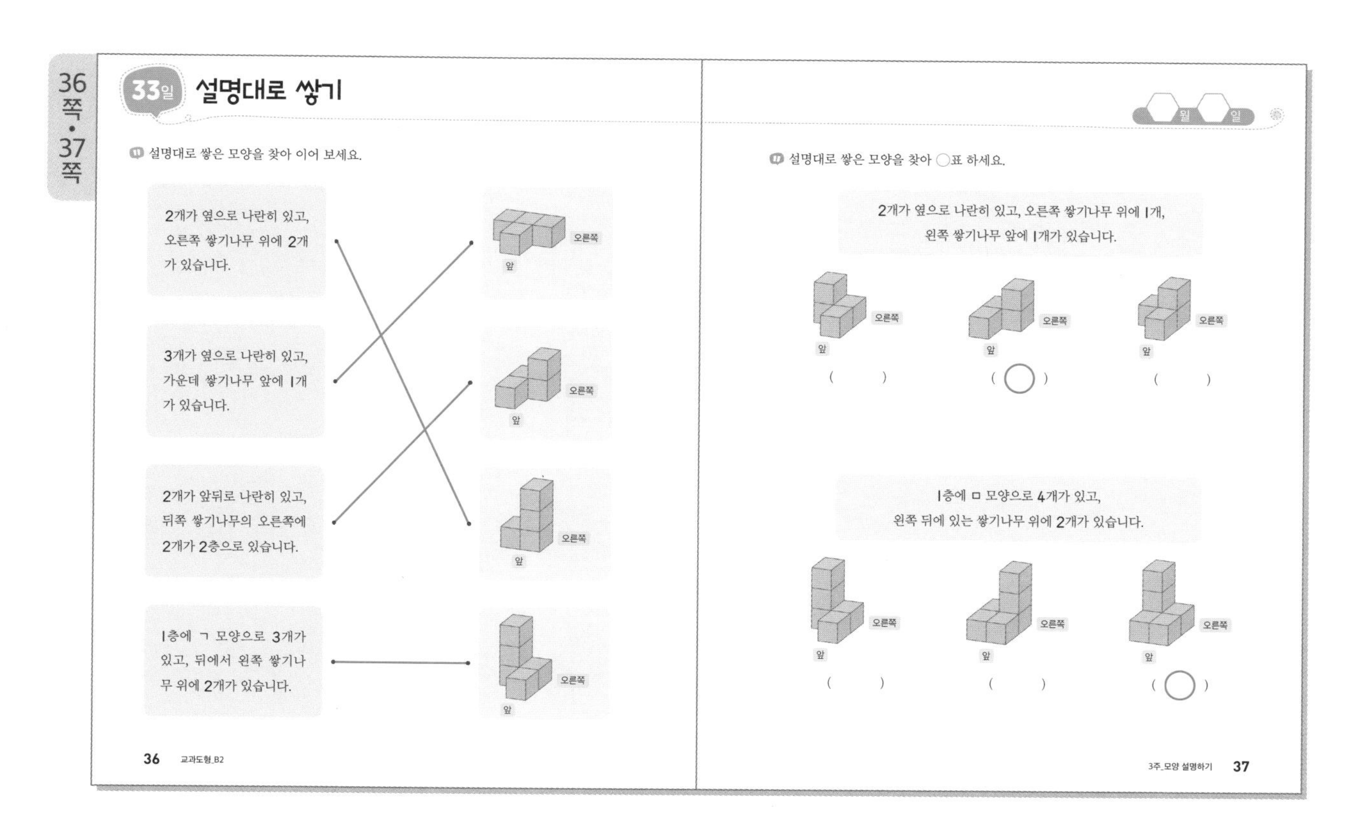

33일 설명대로 쌓기

11 설명대로 쌓은 모양을 찾아 이어 보세요.

- 2개가 옆으로 나란히 있고, 오른쪽 쌓기나무 위에 2개가 있습니다.
- 3개가 옆으로 나란히 있고, 가운데 쌓기나무 앞에 1개가 있습니다.
- 2개가 앞뒤로 나란히 있고, 뒤쪽 쌓기나무의 오른쪽에 2개가 2층으로 있습니다.
- 1층에 ㄱ 모양으로 3개가 있고, 뒤에서 왼쪽 쌓기나무 위에 2개가 있습니다.

12 설명대로 쌓은 모양을 찾아 ○표 하세요.

2개가 옆으로 나란히 있고, 오른쪽 쌓기나무 위에 1개, 왼쪽 쌓기나무 앞에 1개가 있습니다.

( ) (○) ( )

1층에 ㅁ 모양으로 4개가 있고, 왼쪽 뒤에 있는 쌓기나무 위에 2개가 있습니다.

( ) ( ) (○)

36 교과도형_B2

3주_모양 설명하기 37

38쪽·39쪽

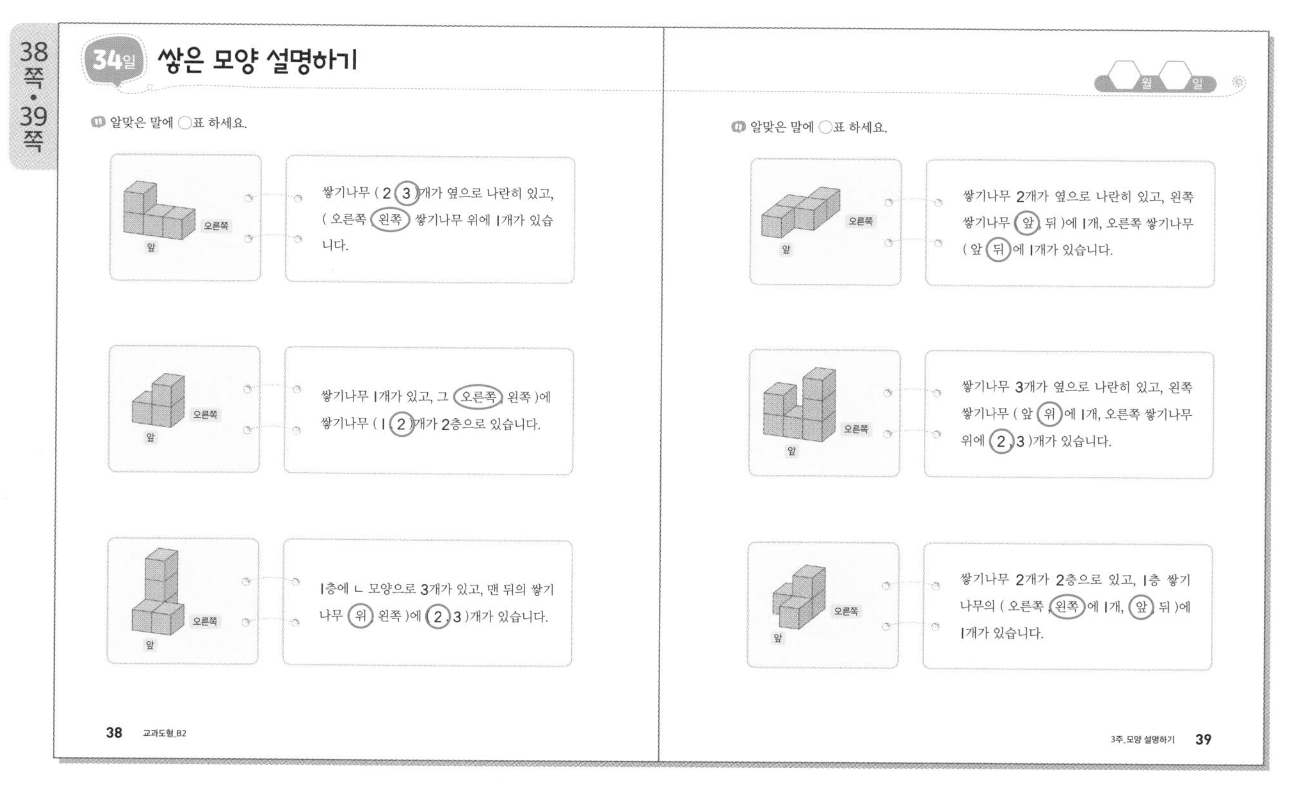

34일 쌓은 모양 설명하기

11 알맞은 말에 ○표 하세요.

쌓기나무 (2, 3)개가 옆으로 나란히 있고, (오른쪽, 왼쪽) 쌓기나무 위에 1개가 있습니다.

쌓기나무 1개가 있고, 그 (오른쪽, 왼쪽)에 쌓기나무 (1, 2)개가 2층으로 있습니다.

1층에 ㄴ 모양으로 3개가 있고, 맨 뒤의 쌓기나무 (위, 왼쪽)에 (2, 3)개가 있습니다.

12 알맞은 말에 ○표 하세요.

쌓기나무 2개가 옆으로 나란히 있고, 왼쪽 쌓기나무 (앞, 뒤)에 1개, 오른쪽 쌓기나무 (앞, 뒤)에 1개가 있습니다.

쌓기나무 3개가 옆으로 나란히 있고, 왼쪽 쌓기나무 (앞, 위)에 1개, 오른쪽 쌓기나무 위에 (2, 3)개가 있습니다.

쌓기나무 2개가 2층으로 있고, 1층 쌓기나무의 (오른쪽, 왼쪽)에 1개, (앞, 뒤)에 1개가 있습니다.

38 교과도형_B2

3주_모양 설명하기 39

40쪽·41쪽

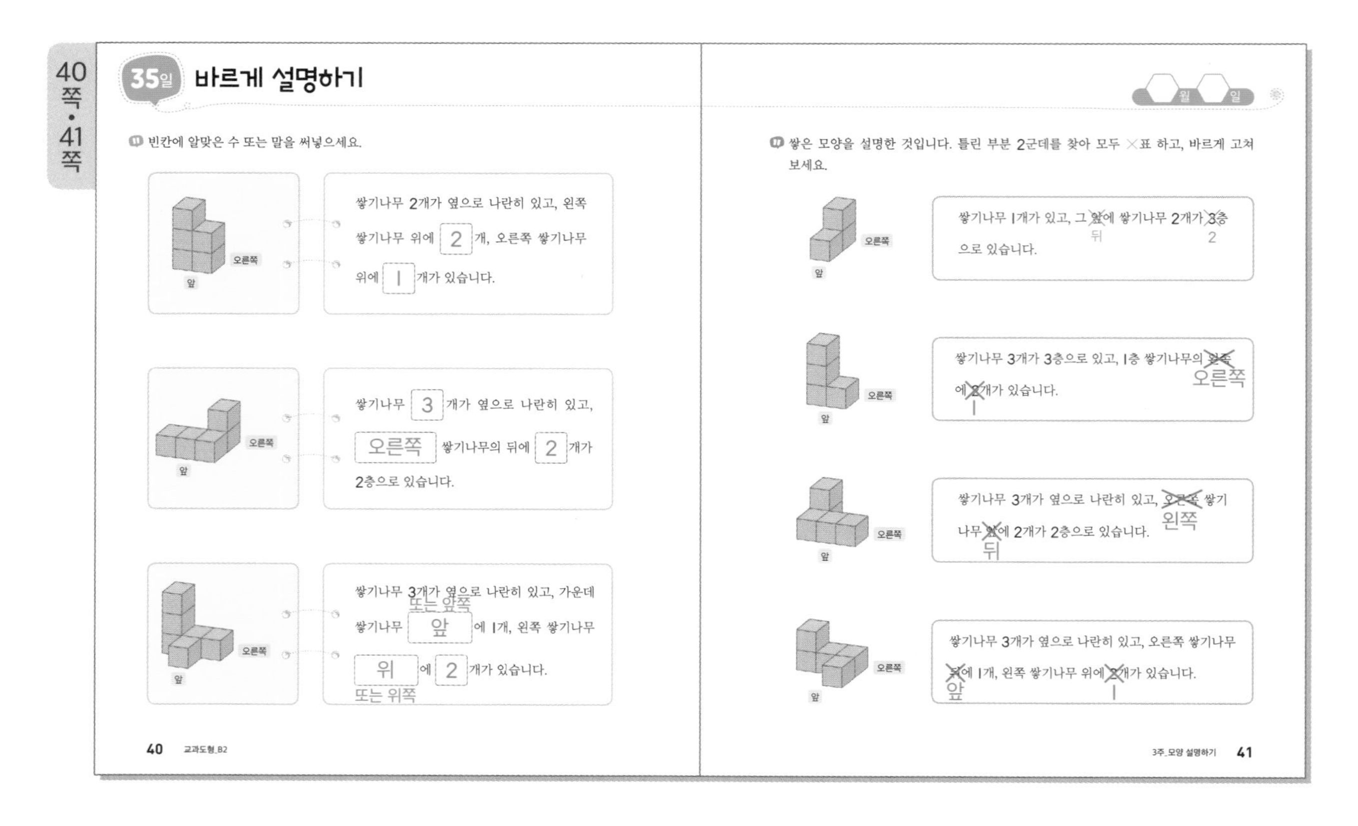

35일 바르게 설명하기

11 빈칸에 알맞은 수 또는 말을 써넣으세요.

쌓기나무 2개가 옆으로 나란히 있고, 왼쪽 쌓기나무 위에 [2]개, 오른쪽 쌓기나무 위에 [1]개가 있습니다.

쌓기나무 [3]개가 옆으로 나란히 있고, [오른쪽] 쌓기나무의 뒤에 [2]개가 2층으로 있습니다.

쌓기나무 3개가 옆으로 나란히 있고, 가운데 쌓기나무 [앞](또는 앞쪽)에 1개, 왼쪽 쌓기나무 [위](또는 위쪽)에 [2]개가 있습니다.

12 쌓은 모양을 설명한 것입니다. 틀린 부분 2군데를 찾아 모두 ×표 하고, 바르게 고쳐 보세요.

쌓기나무 1개가 있고, 그 ~~앞~~(뒤)에 쌓기나무 2개가 ~~3~~(2)층으로 있습니다.

쌓기나무 3개가 3층으로 있고, 1층 쌓기나무의 ~~왼쪽~~(오른쪽)에 ~~2~~(1)개가 있습니다.

쌓기나무 3개가 옆으로 나란히 있고, ~~오른쪽~~(왼쪽) 쌓기나무 ~~위~~(뒤)에 2개가 2층으로 있습니다.

쌓기나무 3개가 옆으로 나란히 있고, 오른쪽 쌓기나무 ~~뒤~~(앞)에 1개, 왼쪽 쌓기나무 위에 ~~2~~(1)개가 있습니다.

40 교과도형_B2 · 3주_모양 설명하기 41

42쪽

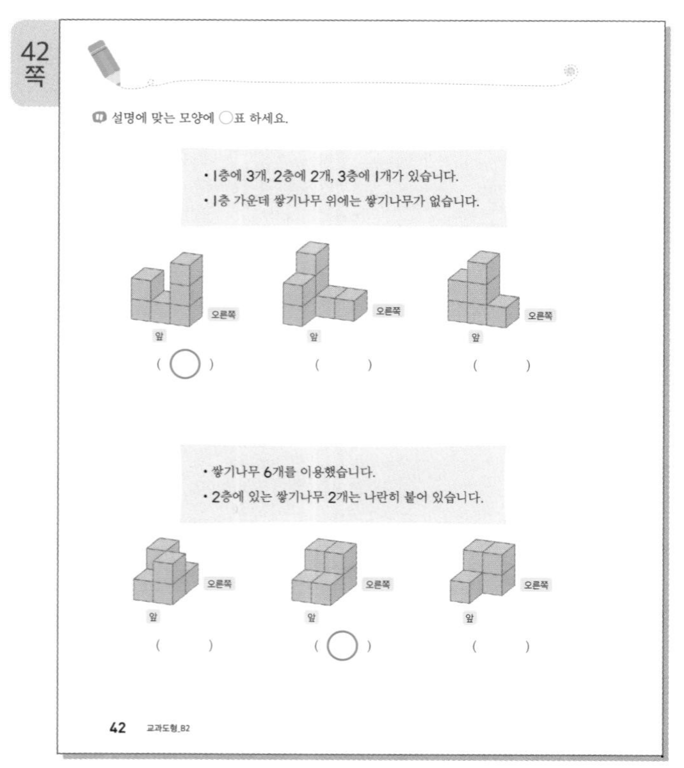

13 설명에 맞는 모양에 ○표 하세요.

• 1층에 3개, 2층에 2개, 3층에 1개가 있습니다.
• 1층 가운데 쌓기나무 위에는 쌓기나무가 없습니다.

(○) ( ) ( )

• 쌓기나무 6개를 이용했습니다.
• 2층에 있는 쌓기나무 2개는 나란히 붙어 있습니다.

( ) (○) ( )

42 교과도형_B2

4주차 쌓기나무 규칙

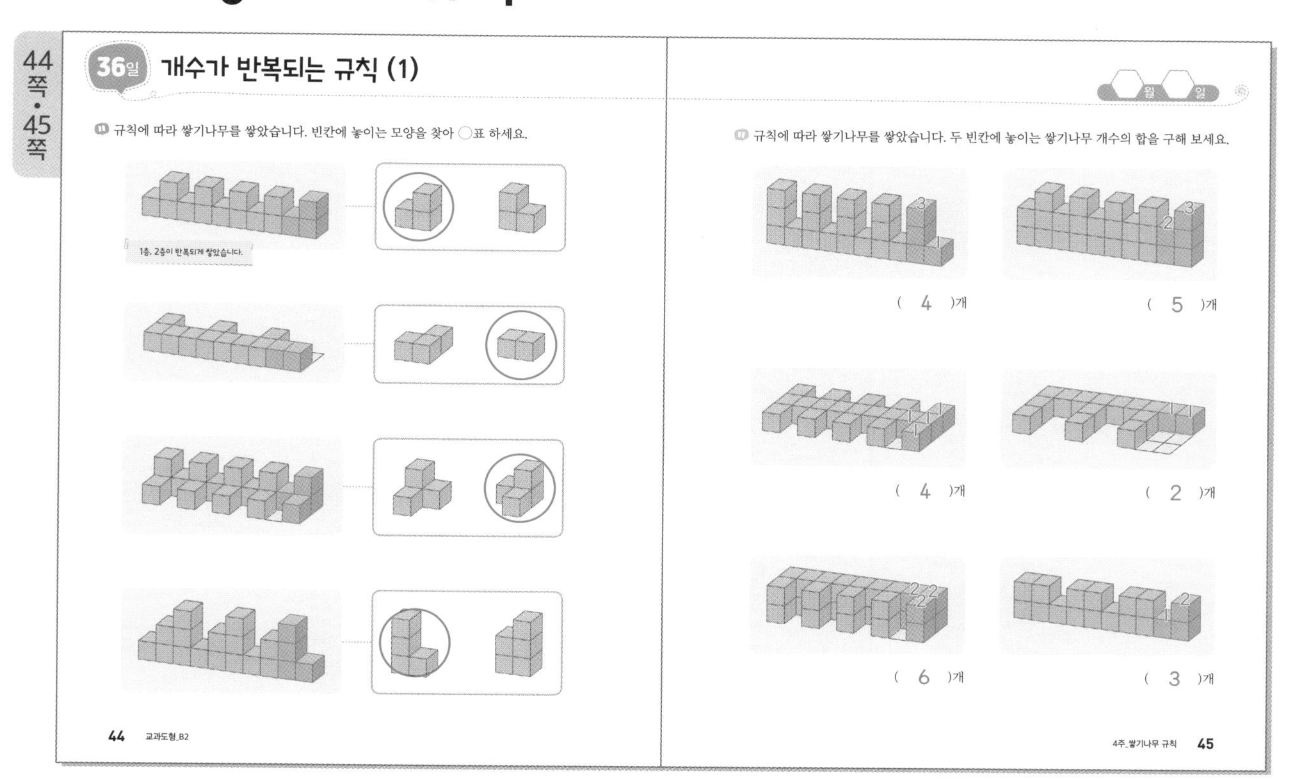

44쪽·45쪽
36일 개수가 반복되는 규칙 (1)
월 일
규칙에 따라 쌓기나무를 쌓았습니다. 빈칸에 놓이는 모양을 찾아 ○표 하세요.
1층, 2층이 반복되게 쌓았습니다.
규칙에 따라 쌓기나무를 쌓았습니다. 두 빈칸에 놓이는 쌓기나무 개수의 합을 구해 보세요.
(4)개
(5)개
(4)개
(2)개
(6)개
(3)개
44 교과도형_B2
4주_쌓기나무 규칙 45

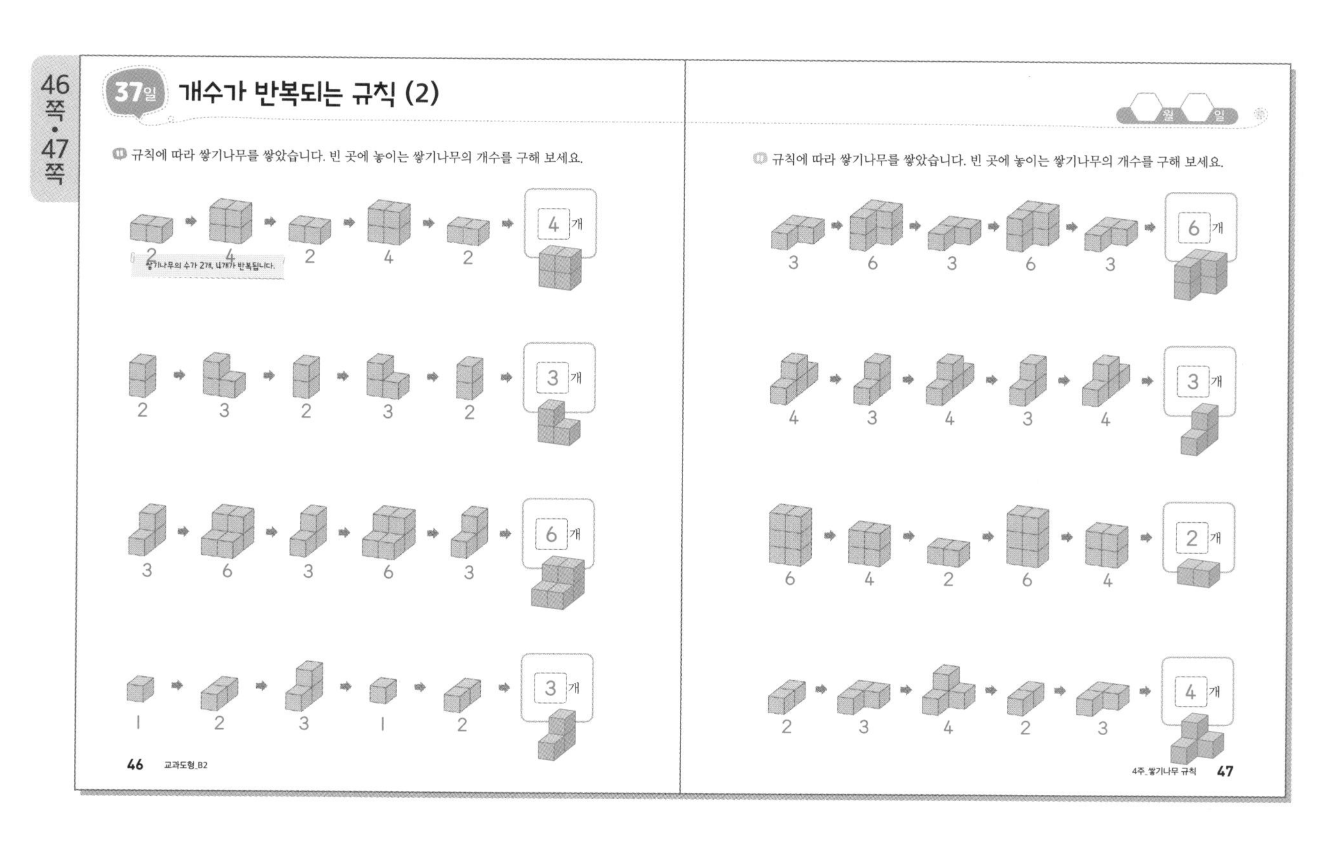

46쪽·47쪽
37일 개수가 반복되는 규칙 (2)
월 일
규칙에 따라 쌓기나무를 쌓았습니다. 빈 곳에 놓이는 쌓기나무의 개수를 구해 보세요.
2 4 2 4 2
4 개
쌓기나무의 수가 2개, 4개가 반복됩니다.
2 3 2 3 2
3 개
3 6 3 6 3
6 개
1 2 3 1 2
3 개
3 6 3 6 3
6 개
4 3 4 3 4
3 개
6 4 2 6 4
2 개
2 3 4 2 3
4 개
46 교과도형_B2
4주_쌓기나무 규칙 47

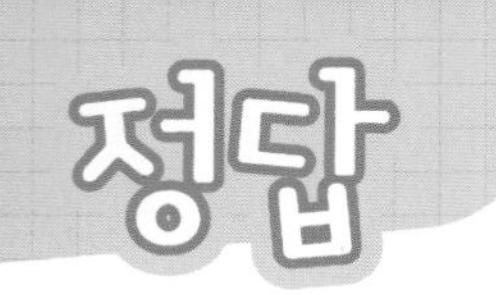

48쪽 · 49쪽

38일 개수가 늘어나는 규칙

월 일

규칙에 따라 쌓기나무를 쌓았습니다. 이어질 모양을 찾아 ○표 하세요.

( ) ( ) (○)

오른쪽과 위쪽으로 1개씩 늘어나는 규칙입니다.

(○) ( ) ( )

가운데 쌓기나무가 2개씩 2층으로 늘어나는 규칙입니다.

규칙에 따라 쌓기나무를 쌓았습니다. 이어질 모양에 쌓을 쌓기나무의 개수를 구해 보세요.

→ ? (9)개

1층과 2층에서 각각 옆으로 1개씩 늘어나는 규칙입니다.

→ ? (12)개

옆으로 3개씩 3층으로 늘어나는 규칙입니다.

→ ? (8)개

1층 오른쪽과 왼쪽으로 각각 1개씩 늘어나는 규칙입니다.

→ ? (10)개

오른쪽, 앞, 위로 각각 1개씩 늘어나는 규칙입니다.

48 교과도형_B2

4주_쌓기나무 규칙 49

50쪽 · 51쪽

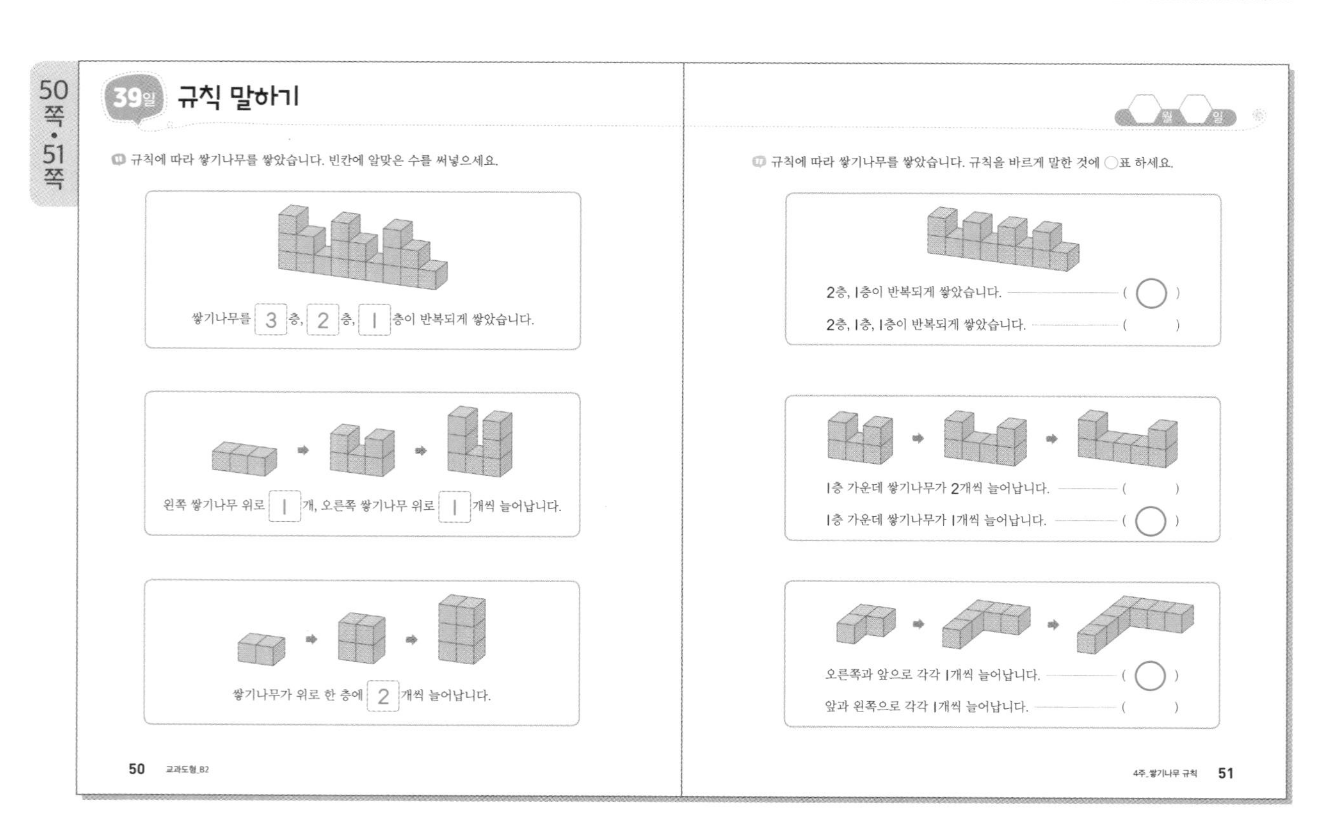

39일 규칙 말하기

월 일

규칙에 따라 쌓기나무를 쌓았습니다. 빈칸에 알맞은 수를 써넣으세요.

쌓기나무를 3 층, 2 층, 1 층이 반복되게 쌓았습니다.

왼쪽 쌓기나무 위로 1 개, 오른쪽 쌓기나무 위로 1 개씩 늘어납니다.

쌓기나무가 위로 한 층에 2 개씩 늘어납니다.

규칙에 따라 쌓기나무를 쌓았습니다. 규칙을 바르게 말한 것에 ○표 하세요.

2층, 1층이 반복되게 쌓았습니다. (○)

2층, 1층, 1층이 반복되게 쌓았습니다. ( )

1층 가운데 쌓기나무가 2개씩 늘어납니다. ( )

1층 가운데 쌓기나무가 1개씩 늘어납니다. (○)

오른쪽과 앞으로 각각 1개씩 늘어납니다. (○)

앞과 왼쪽으로 각각 1개씩 늘어납니다. ( )

50 교과도형_B2

4주_쌓기나무 규칙 51

52쪽·53쪽

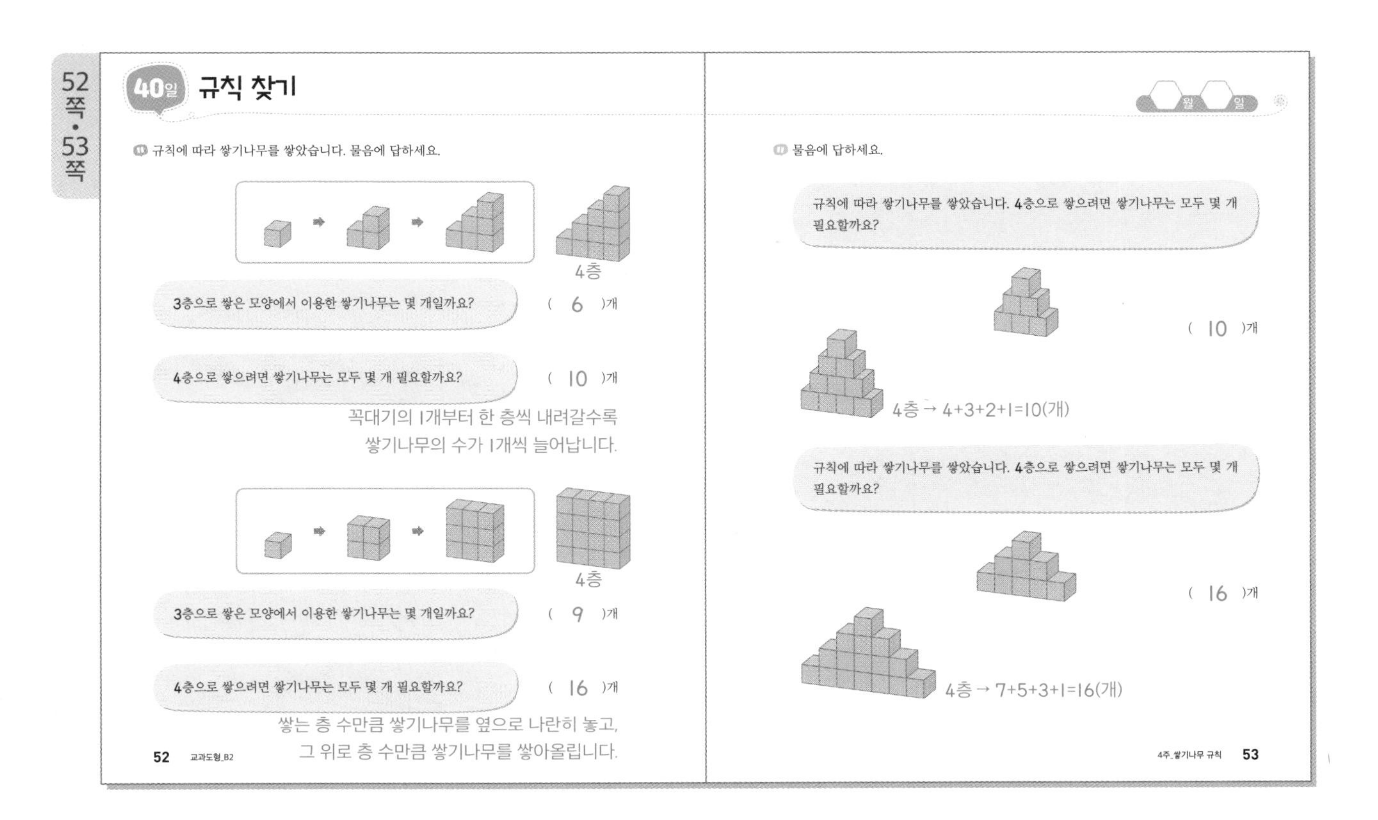

40일 규칙 찾기

월 일

11 규칙에 따라 쌓기나무를 쌓았습니다. 물음에 답하세요.

4층

3층으로 쌓은 모양에서 이용한 쌓기나무는 몇 개일까요? (6)개

4층으로 쌓으려면 쌓기나무는 모두 몇 개 필요할까요? (10)개

꼭대기의 1개부터 한 층씩 내려갈수록 쌓기나무의 수가 1개씩 늘어납니다.

4층

3층으로 쌓은 모양에서 이용한 쌓기나무는 몇 개일까요? (9)개

4층으로 쌓으려면 쌓기나무는 모두 몇 개 필요할까요? (16)개

쌓는 층 수만큼 쌓기나무를 옆으로 나란히 놓고, 그 위로 층 수만큼 쌓기나무를 쌓아올립니다.

52 교과도형_B2

12 물음에 답하세요.

규칙에 따라 쌓기나무를 쌓았습니다. 4층으로 쌓으려면 쌓기나무는 모두 몇 개 필요할까요?

(10)개

4층 → 4+3+2+1=10(개)

규칙에 따라 쌓기나무를 쌓았습니다. 4층으로 쌓으려면 쌓기나무는 모두 몇 개 필요할까요?

(16)개

4층 → 7+5+3+1=16(개)

4주_쌓기나무 규칙 53

54쪽

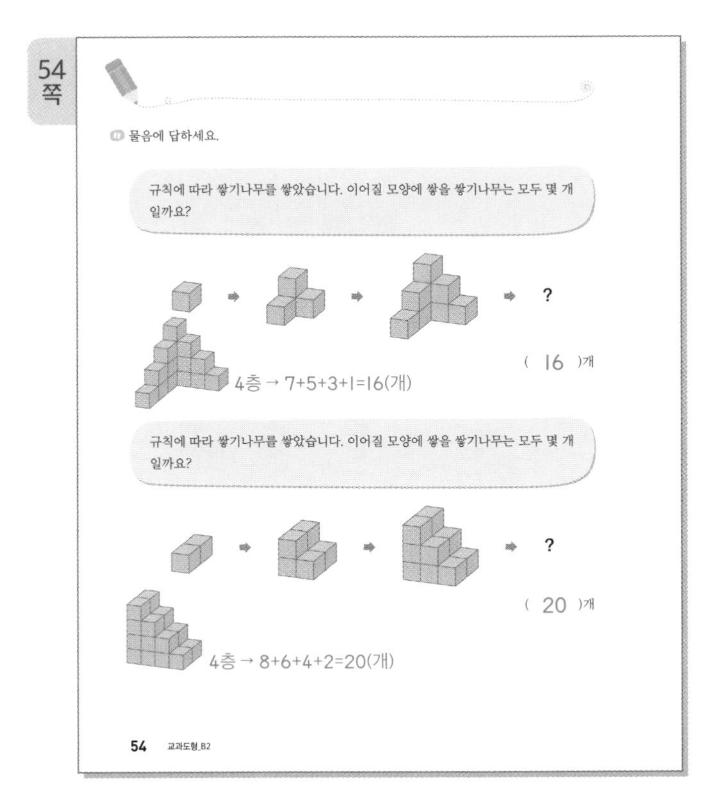

13 물음에 답하세요.

규칙에 따라 쌓기나무를 쌓았습니다. 이어질 모양에 쌓을 쌓기나무는 모두 몇 개일까요?

?

(16)개

4층 → 7+5+3+1=16(개)

규칙에 따라 쌓기나무를 쌓았습니다. 이어질 모양에 쌓을 쌓기나무는 모두 몇 개일까요?

?

(20)개

4층 → 8+6+4+2=20(개)

54 교과도형_B2

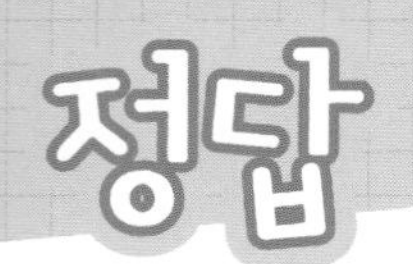

도형플러스+ 위, 앞, 옆

56쪽·57쪽

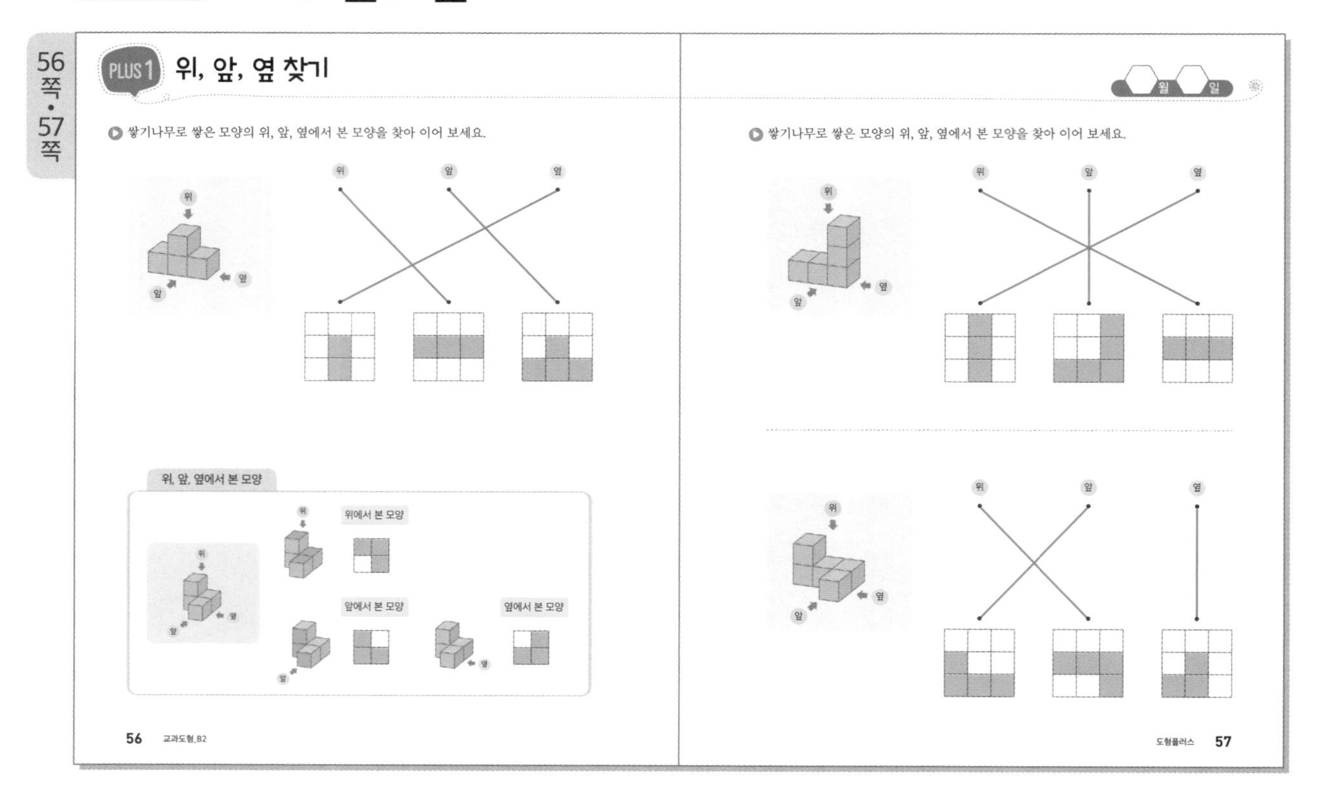

58쪽·59쪽

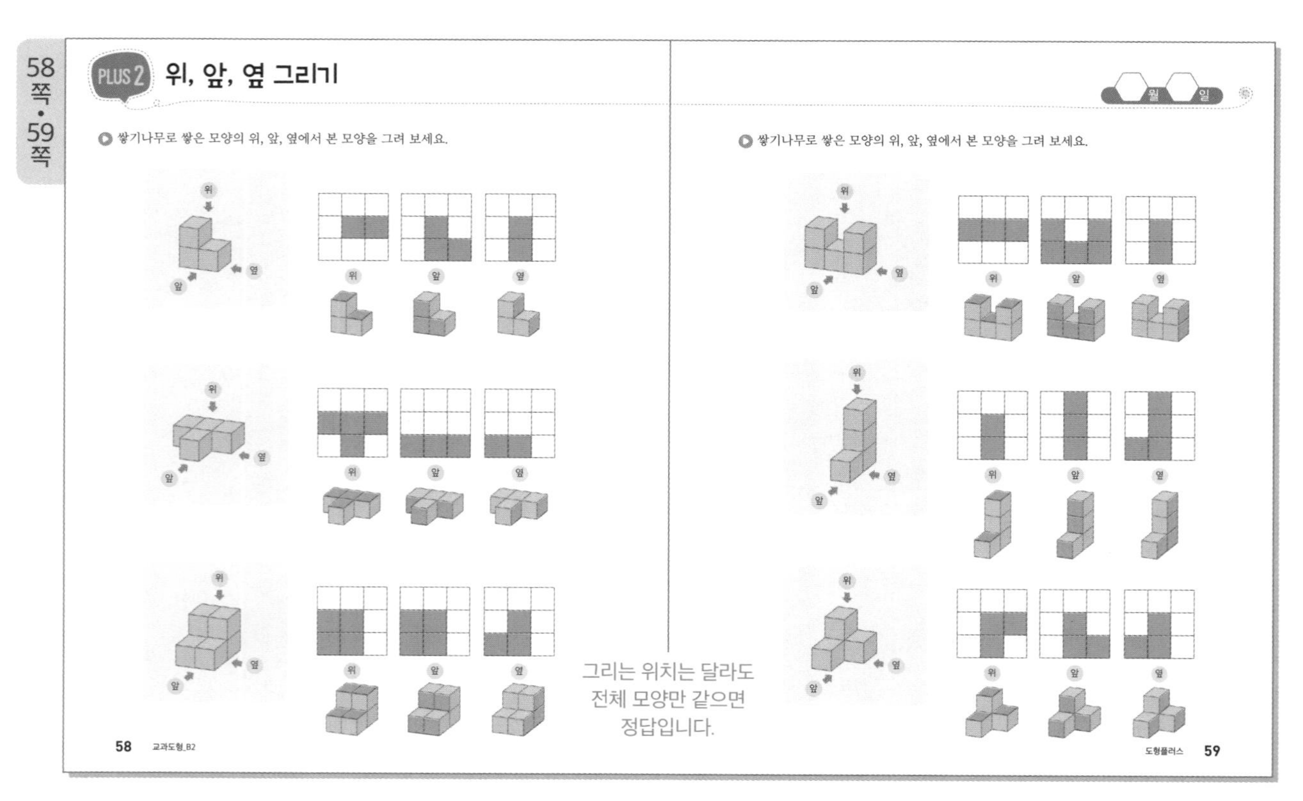

그리는 위치는 달라도 전체 모양만 같으면 정답입니다.

60쪽·61쪽

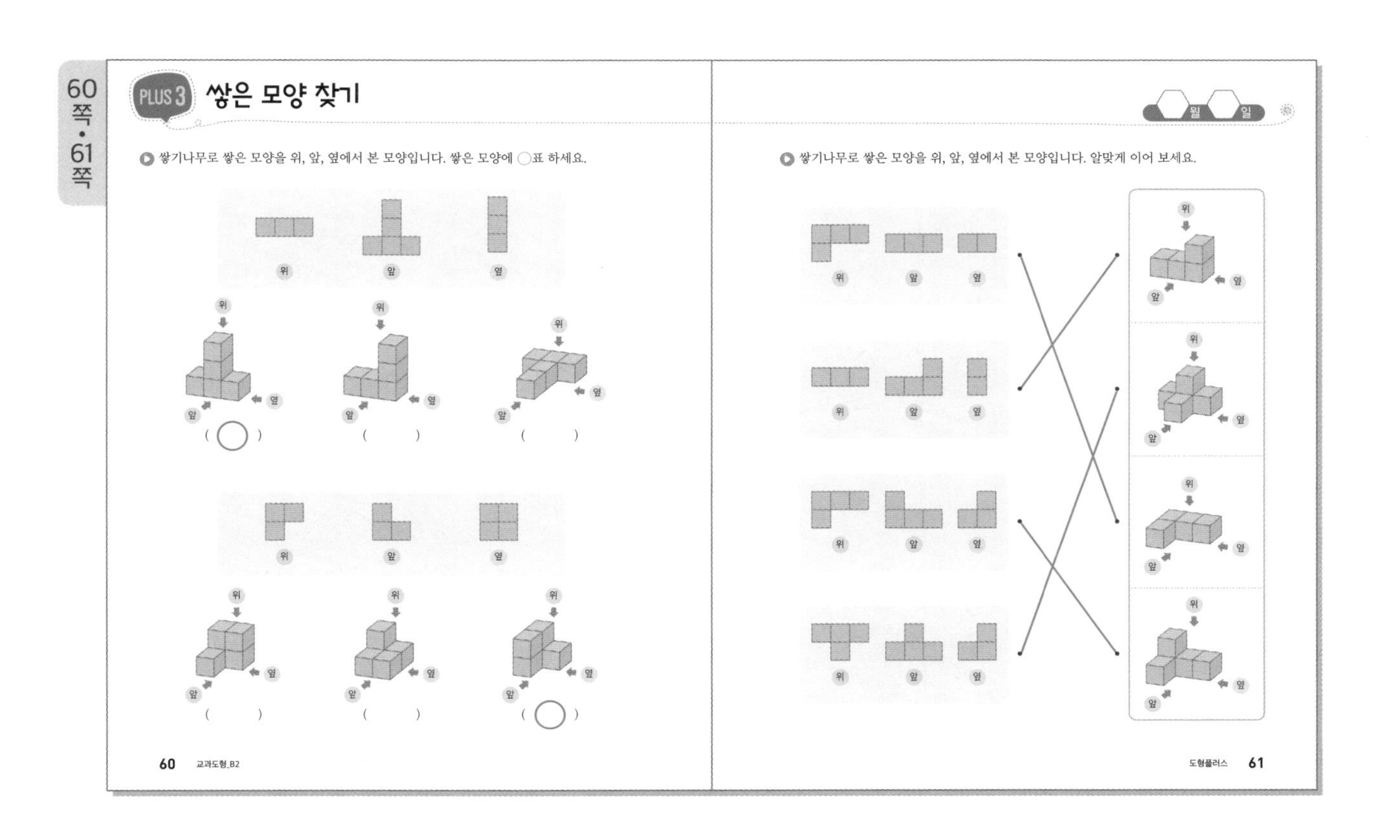
PLUS 3 쌓은 모양 찾기

쌓기나무로 쌓은 모양을 위, 앞, 옆에서 본 모양입니다. 쌓은 모양에 ○표 하세요.

(○) ( ) ( )

( ) ( ) (○)

60 교과도형_B2

월 일

쌓기나무로 쌓은 모양을 위, 앞, 옆에서 본 모양입니다. 알맞게 이어 보세요.

도형플러스 61

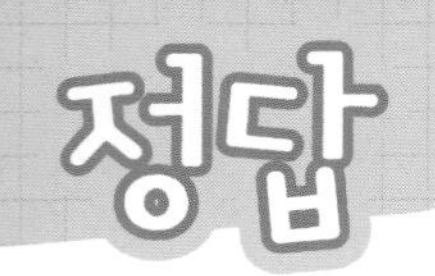

64쪽 • 65쪽

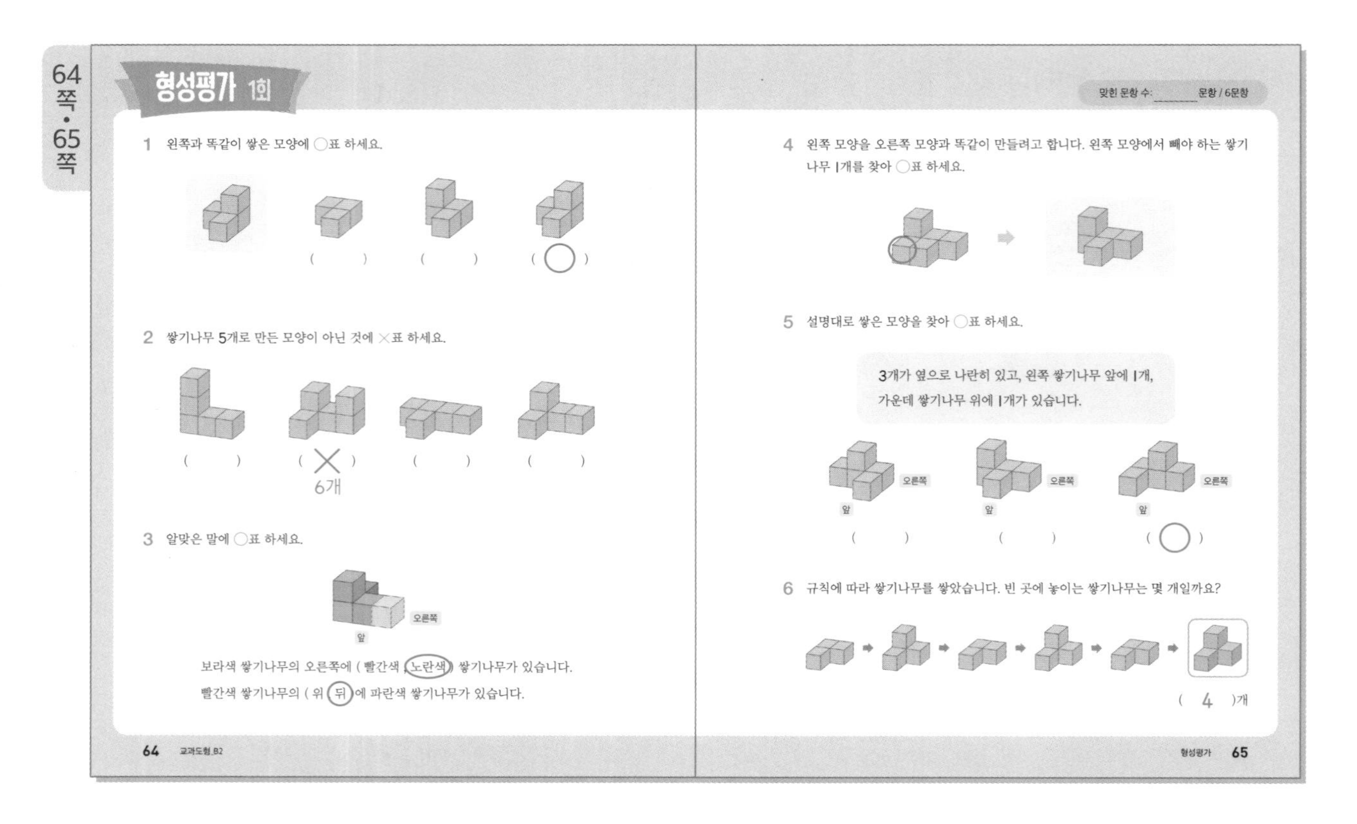

형성평가 1회

맞힌 문항 수: ______ 문항 / 6문항

1 왼쪽과 똑같이 쌓은 모양에 ○표 하세요.

( ) ( ) (○)

2 쌓기나무 5개로 만든 모양이 아닌 것에 ×표 하세요.

( ) (×) ( ) ( )
6개

3 알맞은 말에 ○표 하세요.

오른쪽
앞

보라색 쌓기나무의 오른쪽에 (빨간색 , (노란색)) 쌓기나무가 있습니다.
빨간색 쌓기나무의 (위 , (뒤))에 파란색 쌓기나무가 있습니다.

4 왼쪽 모양을 오른쪽 모양과 똑같이 만들려고 합니다. 왼쪽 모양에서 빼야 하는 쌓기나무 1개를 찾아 ○표 하세요.

5 설명대로 쌓은 모양을 찾아 ○표 하세요.

3개가 옆으로 나란히 있고, 왼쪽 쌓기나무 앞에 1개, 가운데 쌓기나무 위에 1개가 있습니다.

오른쪽 앞 / 오른쪽 앞 / 오른쪽 앞

( ) ( ) (○)

6 규칙에 따라 쌓기나무를 쌓았습니다. 빈 곳에 놓이는 쌓기나무는 몇 개일까요?

(4)개

64 교과도형_B2 형성평가 65

66쪽 • 67쪽

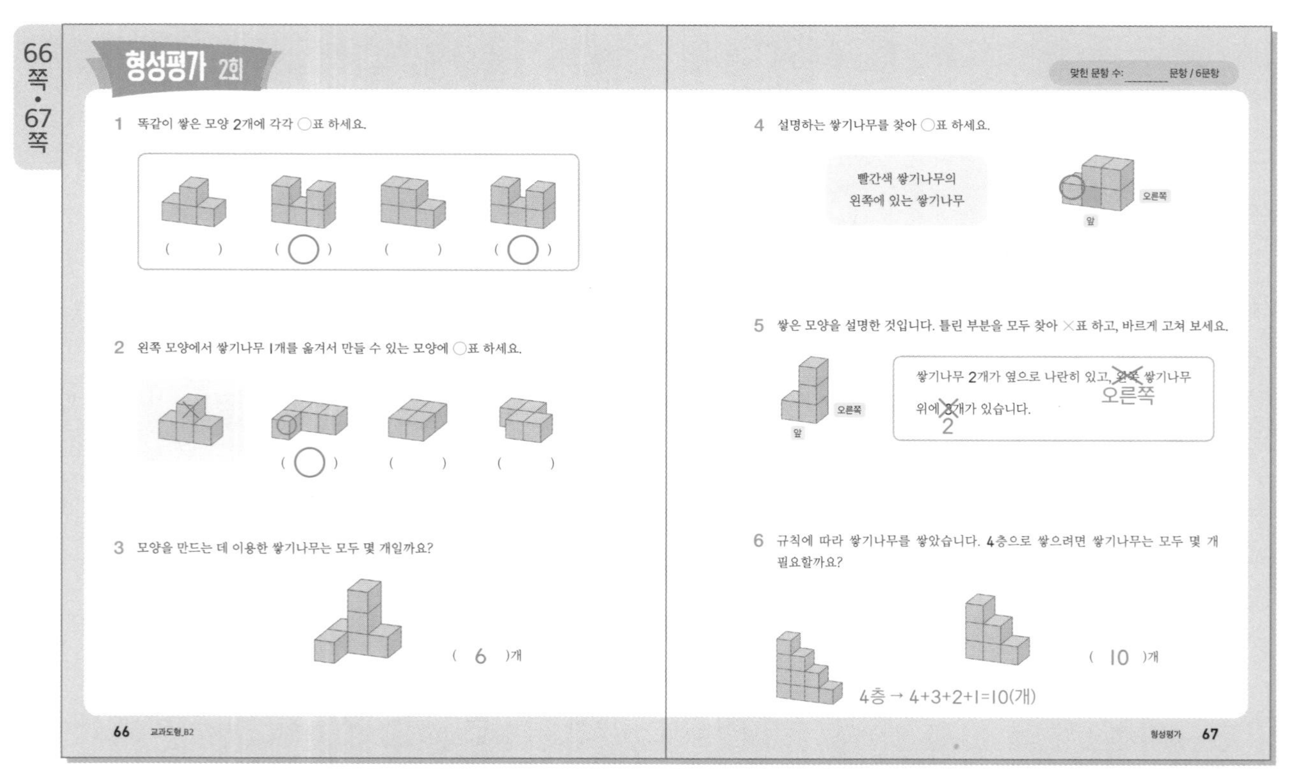

형성평가 2회

맞힌 문항 수: ______ 문항 / 6문항

1 똑같이 쌓은 모양 2개에 각각 ○표 하세요.

( ) (○) ( ) (○)

2 왼쪽 모양에서 쌓기나무 1개를 옮겨서 만들 수 있는 모양에 ○표 하세요.

(○) ( ) ( )

3 모양을 만드는 데 이용한 쌓기나무는 모두 몇 개일까요?

(6)개

4 설명하는 쌓기나무를 찾아 ○표 하세요.

빨간색 쌓기나무의 왼쪽에 있는 쌓기나무

오른쪽
앞

5 쌓은 모양을 설명한 것입니다. 틀린 부분을 모두 찾아 ×표 하고, 바르게 고쳐 보세요.

오른쪽
앞

쌓기나무 2개가 옆으로 나란히 있고, ~~왼쪽~~ 오른쪽 쌓기나무 위에 ~~3~~ 2개가 있습니다.

6 규칙에 따라 쌓기나무를 쌓았습니다. 4층으로 쌓으려면 쌓기나무는 모두 몇 개 필요할까요?

(10)개

4층 → 4+3+2+1=10(개)

66 교과도형_B2 형성평가 67

하루 한 장 60일 집중 완성 교과도형

"한 권이면 충분합니다."

도형을 다양한 문장과 그림,
수식으로 표현합니다.

감각
sense

도형 학습의 바탕이 되는
공간감각을 길러줍니다.

표현
expression

측정
measurement

측정을 더하여
도형 학습을 완성합니다.